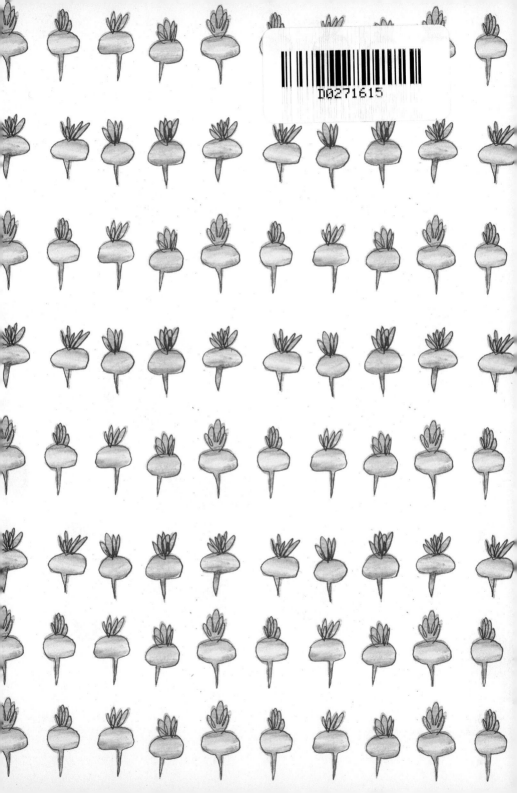

Bücher von Angie Morgan bei Schneiderbuch:

Die Schmuddels – Band 1: Oh Schreck, das Schwein ist weg!

Weitere Bücher von Angie Morgan sind bei Schneiderbuch in Vorbereitung.

1. Auflage
© 2015 Schneiderbuch
verlegt durch Egmont Verlagsgesellschaften mbH,
Gertrudenstraße 30–36, 50667 Köln
Alle deutschsprachigen Rechte vorbehalten
Die englische Originalausgabe erschien 2015 unter dem Titel
„Sedric and the Great Pig Rescue" bei Egmont UK Limited,
The Yellow Building, 1 Nicholas Road, London, W11 4AN
Copyright Text und Illustrationen © 2015 Angie Morgan
Alle Urheberpersönlichkeitsrechte liegen bei der Autorin
Alle Rechte vorbehalten
Übersetzung aus dem Englischen: Antje Görnig
Umschlaggestaltung: init | Kommunikationsdesign, Bad Oeynhausen
Satz: Achim Münster, Overath
Printed in Germany (671575)
ISBN 978-3-505-13745-7

Die Egmont Verlagsgesellschaften gehören als Teil der Egmont-Gruppe zur **Egmont Foundation** – einer gemeinnützigen Stiftung, deren Ziel es ist, die sozialen, kulturellen und gesundheitlichen Lebensumstände von Kindern und Jugendlichen zu verbessern.

Weitere ausführliche Informationen zur Egmont Foundation unter **www.egmont.com**.

Angie Morgan

Die Schmuddels

Oh Schreck, das Schwein ist weg!

Aus dem Englischen
von Antje Görnig

Schneiderbuch

EGMONT

Bevor ich mit meiner Geschichte anfange, hier ein paar nützliche Infos über

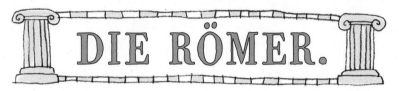

DIE RÖMER.

Vor **SEHR** langer Zeit kamen die **RÖMER** nach **BRITANNIEN**. Sie kämpften und sie prahlten und protzten mächtig rum. Sie bauten große schicke Häuser, die man **VILLA** nennt. Darin hatten sie sogenannte **BÄDER**.

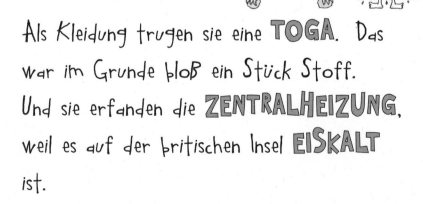

Als Kleidung trugen sie eine **TOGA**. Das war im Grunde bloß ein Stück Stoff. Und sie erfanden die **ZENTRALHEIZUNG**, weil es auf der britischen Insel **EISKALT** ist.

Fauler Römer

Spaghetti

(Vom Essen im Liegen hatten sie alle SCHLIMME Verdauungsprobleme.)

Oliven Pizza

Sie waren sehr faul und nahmen alle Mahlzeiten im **BETT** ein.

Sie aßen komisches Essen und benutzten als Sprache vor allem **LATEIN** und **RÖMISCHE ZAHLEN.**

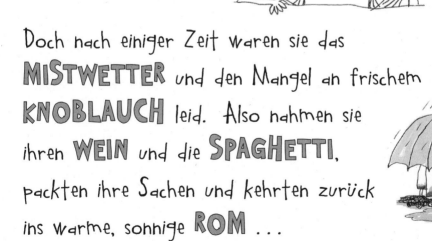

ERRARE HUMANUM EST VXII

Doch nach einiger Zeit waren sie das **MISTWETTER** und den Mangel an frischem **KNOBLAUCH** leid. Also nahmen sie ihren **WEIN** und die **SPAGHETTI,** packten ihre Sachen und kehrten zurück ins warme, sonnige **ROM** ...

ROM

Was nach ihnen kam, war das frühe

MITTELALTER.

Es war finster und schmuddelig und auch ein bisschen **LANGWEILIG.** Genau zu dieser Zeit lebe ich. In einem kleinen Dorf ganz unten in der linken Ecke von BRITANNIEN, wo es absolut **NICHTS** zu tun gibt. Wir wohnen in **HÜTTEN** aus

STROH → und

LEHM.

Wir sind alle ~~ekstrem~~ sehr **ARM,** und wir essen fast nur **RÜBEN.**

Es regnet **VIEL.**
↓

Unsere Kleidung heißt **TUNIKA**. Tuniken sind **RAU** und **KRATZIG**, und es gibt sie in vielen Farben: hellbraun, dunkelbraun, mittelbraun, erdbraun, mausbraun und braun. Jeder hier hat 'ne Menge

Flöhe → verfilzte Haare
Läuse →
Dreck
schlechte Zähne
Pickel

Aber **TROTZ ALLEM** sind wir ganz **ZUFRIEDEN.**

Meine Freunde
Ed
Rebekka
Marwin, mein **SCHWEIN**
Ich (Sedrik)
Robin
Finn

(Einmal umblättern, dann geht es los!)

1. Kapitel

RATTEN, STROH UND EIN BÖSES ERWACHEN

BÄÄÄH!

Ich wurde wach. Etwas Abscheuliches war auf meinem Kopf gelandet.

Es war eine Ratte.

Und diese Ratte saß auf einem dicken, nassen Klumpen Stroh. Das nasse Stroh stammte von unserem Dach. Die Ratte hatte ein Loch reingefressen, durch das sie auf mich runtergeplumpst war.

13

Ich war schneller aus dem Bett als ein Römer mit brennender Toga!

Es war kein guter Start in den Tag, aber besonders erstaunlich war es nicht. Denn die Ratten in unserem Dorf fressen LIEBEND gern nasses Stroh. Und aus Stroh machen wir unsere Dächer. Das hat irgendein Idiot erfunden.

Meine Mama schrie los und fuchtelte mit dem Besen rum und flippte völlig aus, weil sie totale PANIK vor Ratten hat. In unserem Dorf sind fast überall Ratten, deshalb schreit sie auch fast die ganze Zeit.

Dann fuchtelte sie noch mehr mit ihrem Besen rum, denn die Ratte flitzte hektisch hin und her, weil sie die Tür nicht fand. Und dann kam Marwin rein, und Mama schrie noch LAUTER.

Marwin ist mein Schwein. Er ist sehr schlau und witzig. Mama sieht das anders. Sie sagt, er ist eine Nervensäge und gehört in den Schweinestall.

Als Mama gerade dabei war, komplett durchzudrehen, kam Rebekka. Rebekka ist meine beste Freundin und eine tolle Helferin in der Not.

„Warte, Sedriks Mama! Ich schaffe sie raus!", rief sie.

Rebekka hat keine Angst vor Ratten. Sie hat eigentlich vor NICHTS Angst. Außer vor Ohrenkneifern. Die kann sie nicht ausstehen. Sie hat mal gehört, dass Ohrenkneifer nachts in die

Ohrenkneifer →

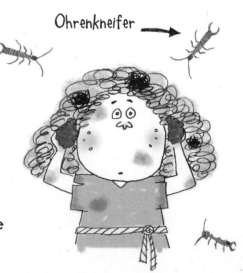

Ohren krabbeln und das Hirn auffressen.
Jetzt stopft sie sich vor dem Schlafen—
gehen Lehm in die Ohren, damit sie nicht
reinkönnen. Aber ich glaube nicht, dass
Ohrenkneifer das WIRKLICH
machen. Gehirne fressen, meine ich.

„Danke, lieb von dir, Rebekka!",
rief Mama. Sie war inzwischen
vor lauter Angst auf den Tisch
geklettert. „Verdammt groß, diese
Biester! Eines Tages werden
wir alle im Schlaf von ihnen aufgefressen – und was
dann?"

Dann sind wir wahrscheinlich tot, dachte ich.

Rebekka packte die Ratte beim Schwanz und warf
sie zur Tür raus.

Mama hatte sich gerade beruhigt und eine Tasse
Rübentee gekocht, da kam Papa rein. Er war auf dem
Rübenfeld gewesen und hatte Rüben geholt.

Wir bauen in unserem Dorf viele Rüben an. Eigentlich bauen wir praktisch NUR Rüben an. Eine gute Sache, wenn man Rüben mag (wie ich), aber ziemlich blöd, wenn man sie nicht mag.

Mama erzählte ihm von der Ratte.

„Ratten sind nun mal Ratten. Da kann man nichts machen", sagte Papa.

Er gibt STÄNDIG solche platten Sprüche von sich. Wenn ich zum Beispiel vorschlage, dass wir unsere Dächer aus etwas machen sollten, das Ratten nicht fressen, sagt er: „Mein Vater hat sein Dach aus Stroh gemacht wie auch mein Großvater und mein Urgroßvater. Wenn es für sie gut genug war, dann ist es auch gut genug für mich."

Versteht ihr, was ich meine?

2. Kapitel

EIN PAAR SACHEN ÜBER UNSER DORF

Als Mama ihren Rübentee getrunken hatte, wurde es

Schmuddel-
wetter

Zeit für Rebekka und mich, in die Schule zu gehen.

Wir machen immer einen Umweg. Wir würden so

ziemlich ALLES lieber tun als

zur Schule gehen. Da lernen wir

eh nur Zeugs wie Lesen und

Schreiben und Rechnen. Und

Sachen über die Römer, die

früher hier lebten, aber nach

Rom zurückkehrten, als sie

das Mistwetter leid waren.

Papa sagt, wir hätten großes Glück, dass es eine Schule in unserem Dorf gibt. Die meisten Dörfer hätten nämlich keine.

Sie können unsere haben! Meinetwegen sofort.

Unterwegs lief uns Marwin wie immer zwischen die

Beine, um uns zum Stolpern zu bringen. Das war zwar ganz lustig, aber gleichzeitig nervte es auch.

„Ich hatte letzte Nacht einen seltsamen Traum, Sedrik", sagte Rebekka. „Soll ich ihn dir erzählen?"

Eigentlich hatte ich keine Lust darauf, aber ich wollte auch nicht unhöflich sein. Es ist nur so: Was andere Leute träumen, ist wirklich nicht so interessant, weil es sich komplett im Kopf von jemand anders abspielt.

Rebekka hat immer seltsame Träume. Sie denkt, dass sie vielleicht später mal Hexe wird, wenn sie groß ist.

Die einzige Hexe, die ich kenne, ist die irre Warzen-Edna. Sie lebt mit ein paar Kröten in einer Höhle am Rand des schwarzen Walds. Sie sieht ganz schön grässlich aus und hat nur noch einen Zahn im Mund.

IRRE WARZEN-EDNA

Grässlich

Ein Zahn

Kröte

Rebekka hat runde, rosige Wangen und rote, wuschelige Haare. Ich würde sagen, wenn sie Hexe werden will, hat sie noch einen weiten Weg vor sich. Es sei denn, sie will so was wie eine Geheimhexe werden, die ganz normal aussieht. Das schafft sie spielend!

Ich dachte also einfach an was anderes und bekam nur das Ende von Rebekkas Traum mit.

REBEKKA

Rote, wuschelige Haare

Runde, rosige Wangen

„… Und nach der RIESIGEN Explosion sind wir alle durch ein großes Loch ins Wasser gefallen. Und du - also, EIGENTLICH warst das nicht du, sondern eine Mischung aus mehreren Leuten … Du bist jedenfalls mit so einem komischen Zwerg im Kettenhemd rumgelaufen. Und da war eine Menge Geschrei. Und dann gab es ein großes Festmahl mit merkwürdigem Essen, und der dicke Mann hat alle angebrüllt, und dann ist er geplatzt."

Genau das habe ich vorhin gemeint: Was jemand anders träumt, ergibt für einen selbst echt keinen Sinn!

Auch wenn wir einen großen Umweg machen, haben wir es nicht weit zur Schule. Unser Dorf heißt Klein-Schmuddeldorf und ist wirklich SEHR klein. Es gibt hier:

1. Ein paar Hütten. Ich weiß nicht genau, wie viele. Einmal habe ich angefangen, sie zu zählen. Es sind definitiv mehr als drei. Sie sind vor allem aus Lehm und Stroh, und es regnet immer rein.

HÜTTEN

Schule

2. Eine Schule. Die Schulhütte ist etwas größer, aber auch ihr Dach ist undicht.

3. Einen Schweinestall. In dem fast nie Schweine sind. Meistens werden da Gäste untergebracht, denen der Gestank nichts aus-macht.

Schweinesta

24

(Marwin will da nicht schlafen, aber das verrate ich Mama nicht. Er schläft nämlich in meinem Bett.)

4. Das Rübenlager. Da bewahren wir unsere Rüben auf, damit wir im Winter keinen Hunger leiden.

Rübenlager

Am Rand unseres Dorfs ist der schwarze Wald. Er ist groß und finster, und niemand traut sich rein. Weil es da wimmelt von Kobolden und Trollen und Drachen und gefährlichen Schurken und gruseligen Monstern mit Glotzaugen.

Aber das ist eigentlich Quatsch. Die Erwachsenen erzählen uns das nur, damit wir nicht im Wald rum-laufen. Aber Schurken gibt es wirklich. Das weiß ich, weil der Cousin von meinem Freund Robin einer ist.

Der schwarze Wald

Zur BURG →

In der Mitte des Dorfs steht die alte Eiche. Papa sagt, sie stand schon da, als die Römer kamen. Das war vor seiner Geburt – und 𝔈ℜ ist schon ziemlich alt.

Wir brauchen die Eiche für alles Mögliche. Die Erwachsenen treffen sich da, um wichtige Dinge zu besprechen und Rübenwein zu trinken. Und wir pinnen Zettel und Mitteilungen an den Stamm. Zum Beispiel:

Klein-Schmudeldorf
DORF-
FESST

Ratten-Werfn
mit ECHTN
Ratten

Leckere
Rüben-
Schpeisen

GANS
FEINER
WEIN

Jede
Mange Wein

Hinter unserem Dorf ist ein Berg mit einer Burg drauf.

Sie sieht aus wie jede andere Burg. Groß und mächtig, mit Zinnen und Türmen und so kleinen schmalen Fenstern, durch die man Pfeile schießt.

Der Graf, der auf der Burg wohnte, hieß Graf Oswin der Uralte. Er war wirklich nett und ließ uns die meiste Zeit in Ruhe. Nur einmal im Jahr kam er zu uns runter, um das Dorffest zu eröffnen. Und zu Weihnachten schickte er uns immer Geschenke.

Das war's auch schon. Mehr gibt es über Klein-Schmuddeldorf nicht zu sagen. Es ist kein besonders aufregendes Dorf, weil man hier nichts unternehmen kann und es STÄNDIG regnet und ÜBERALL Schlamm ist und es nur Rüben zu essen gibt.

Doch es ist mein Dorf, und es gefällt mir, wie es ist. Und ich dachte, es würde auch immer bleiben, wie es ist.

Aber dann ...

3. Kapitel

EIN NICHT GANZ NORMALER SCHULTAG

Als Rebekka, Marwin und ich zur Schule kamen, standen alle draußen rum und warteten auf unseren Lehrer Gajus. Meine anderen besten Freunde Ed, Finn und Robin waren auch schon da und spielten „Stöcke und Steine". Das ist unser Lieblingsspiel. Es geht so:

Jeder Spieler braucht einen Stock und einen Stein.

Spieler 1 schlägt seinen Stein mit dem Stock in den Schlamm.

Er schlägt auf den Stein, bis er im Schlamm versinkt.

Dann ist Spieler 2 dran, während sich Spieler 1 einen neuen Stein sucht.

Das Spiel ist gewonnen, wenn beide Spieler keine Lust mehr haben, Steine zu suchen.

Ich hatte gerade einen richtig guten Stock gefunden, da kam Gajus.

Gajus ist Römer und total alt und runzlig. Er ist der einzige Römer weit und breit. Als die anderen Römer gegangen sind, ist er einfach hier geblieben. Er sagt, es gefällt ihm bei uns. Es gefällt ihm zum Beispiel, dass die Briten von morgens bis abends über das Wetter reden. Und von der heißen Sonne in Rom hat er immer Ausschlag bekommen. UND er ist allergisch gegen Knoblauch.

Gajus

Frühstück

Der ist doch verrückt, oder? Ich meine, wer bleibt schon hier in der Kälte, dem Regen und dem ganzen Schlamm, wenn er nach Rom gehen könnte, wo es schön warm und sonnig ist?

Okay, Gajus ist vielleicht verrückt, aber er ist auch unheimlich klug. Er hat viele Bücher gelesen, UND er spricht Latein. Allerdings vergisst er oft mitten im Satz, was er sagen wollte. Und manchmal schläft er im Unterricht ein, weil er so wahnsinnig alt ist. Und was es bei ihm zum Frühstück gab, sieht man immer an den Flecken vorn auf seiner Toga.

Wenn wir in die Schule reingehen, gibt es meistens viel Gedrängel, weil jeder hinten sitzen will. Rebekka ist echt gut im Drängeln, weil sie die Größte ist. Deshalb hält sie mir auch immer einen Platz frei.

Marwin darf nicht in die Schule, aber manchmal kommt er mit, wenn Gajus nicht aufpasst. Dann versteckt er sich unter meiner Bank.

Schule

Heute lugte anscheinend sein Ringelschwänzchen hervor oder so, denn Gajus sagte plötzlich: „Die Regeln haben sich nicht geändert, Sedrik. Schweine dürfen nicht in die Schule."

Marwin zockelte also nach draußen, und Gajus klappte das Klassenbuch auf.

„Rebekka?"

„Hier."

„Ed?"

„Hier."

„Sedrik?"

„Hier."

„Finn?"

Gajus schaute Finn an und stutzte. Dann sah er noch mal genauer hin. Finn ist ziemlich hässlich. Er hat Pickel ohne Ende und Haare wie ein Stachelpilz. Seine Haare sind immer voll von riesigen Läusen, deshalb schneidet seine Mutter sie ihm ganz kurz. Aber die Läuse bleiben trotzdem. Es macht also keinen

Unterschied. Finn meint, es liegt daran, dass
sein Kopf besser schmeckt als unsere Köpfe.
Haha!

Aber egal. Gajus starrte Finn jedenfalls an, und wir
scharten uns neugierig um ihn. In seinem Gesicht klebten
komische schwarze Dinger.

„Du hast da was im Gesicht, Finn", sagte Gajus.

„Das sind Schnecken", sagte Finn.

„Und darf ich fragen, warum du Schnecken im Gesicht
hast?", sagte Gajus.

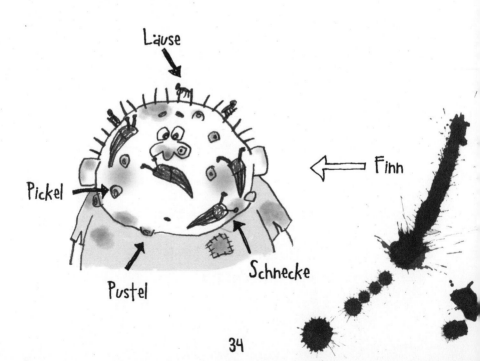

„Das war Eds Idee, SCHNECKE →
Herr Lehrer", sagte Finn. „Er
hat gemeint, die Pickel gehen
weg, wenn ich Schnecken drauftue."

„Stimmt das, Ed? Hast du Finn gesagt, dass seine
Pickel weggehen, wenn er Schnecken drauftut?" Wir
mussten alle kichern. So wie Gajus das Wort „Pickel"
aussprach, klang es, als wäre es aus einer fremden
Sprache oder so.

„Also, die irre Warzen-Edna hat gesagt, es funktioniert", sagte Ed. Jeder weiß, dass die irre Warzen-
Edna ECHT eine Schraube locker hat. Aber Ed glaubt
einfach alles. Er war der, der Rebekka erzählt hat,
Ohrenkneifer würden einem das Hirn wegfressen.

„Ich würde vorschlagen, Ed, du hörst in Zukunft
nicht mehr auf Leute, die als IRRE bezeichnet werden", sagte Gajus. Er wollte mit der Anwesenheitskon-
trolle weitermachen, aber da ging plötzlich die Tür auf,
und Rubella kam mit ihrer Freundin Gerti reinstolziert.

Gerti ist klein und total verlaust und sagt nie einen Ton. Rubella beschwert sich ständig und über alles.

„OH GOTT! Warum muss ich überhaupt hier sein? Schule ist total SINNLOS und ÖDE. Wir lernen nie was Nützliches, immer nur dummes Zeug!"

„Würdest du dich bitte hinsetzen, Rubella? Ich möchte gern weitermachen", sagte Gajus.

Rubella trottete langsam zu einem freien Platz und ließ sich seufzend plumpsen. Allerdings saß sie nun neben Finn, und als sie sein Gesicht sah, rastete sie gleich wieder aus.

„Was hat er da im Gesicht? IGITT! Ist ja wider-
lich. Muss ich ECHT neben so einem sitzen? Ehrlich,
dieses Dorf ist schrecklich! Nur DRECK und RÜBEN
und schmuddelige Leute mit EKELIGEM Zeug im
Gesicht!"

Gajus beachtete sie nicht weiter und rief den
Letzten in der Klasse auf.

„Robin? Setz bitte im Unterricht die Kapuze ab",
sagte Gajus. „Du kennst die Regeln."

„Das ist ungerecht!", sagte Robin. „Warum haben wir so viele dumme, total sinnlose Regeln?"

„Regeln sind Regeln, junger Robin, und an die muss man sich halten!"

Das sagt Gajus immer. Aber er sagt nie, wer sich die ganzen Regeln überhaupt ausdenkt.

Wir fingen (wie gewohnt) mit römischer Geschichte an. Gajus hatte gerade begonnen, von einer Schlacht zwischen den Römern und den Pikten und Skoten zu erzählen, als wir von draußen Geschrei hörten.

RÖMER

SKOTEN

PIKTEN

Geschrei in unserem Dorf kann verschiedene Gründe haben:

1. Meine Mutter hat eine
   Ratte gefunden.

2. Ein Bär ist im Dorf.
   (Das ist echt schon
   mal passiert.)

3. Eds Opa hat
   gemerkt, dass jemand
   seine Kastaniensammlung
   angerührt hat.

4. Hauptmann Hengist
   ist da.

4. Kapitel

EINE MENGE GESCHREI UND EINE SCHLECHTE NACHRICHT

Es war tatsächlich Hauptmann Hengist.

Er ist für die Burg und ihre Soldaten zuständig und schreit eigentlich IMMER rum. Ich schätze, er ist lauter als Mama. Und das will was heißen.

Wir liefen also alle nach draußen, um zu gucken, was los ist. Marwin hüpfte vor Freude, als er mich sah, und wackelte mit dem Schwänzchen.

Hauptmann Hengist kam mit ein paar Soldaten ins Dorf marschiert. Aber wegen dem ganzen Schlamm

klappte es mit dem
Marschieren nicht so gut.
Die Soldaten blieben immer
wieder stecken.

„LINKS,
RECHTS. LINKS,
RECHTS! LOS,
BEWEGT EUCH,

IHR FAULTIERE! SO WAS NENNT SICH SOLDATEN! MEINE GUTE ALTE ERGRAUTE MUTTER KÖNNTE ES BESSER ALS IHR!", brüllte der Hauptmann.

Einer der Soldaten sagte: „Chef, in diesem Schlamm ist das Marschieren gar nicht so leicht! Können wir nicht einfach normal gehen?"

„Ja, Chef", sagte ein anderer. „Meine Stiefel sind klatschnass und scheuern ganz schlimm."

Der Hauptmann fragte die beiden, ob sie lieber in der Burg-küche Geschirr spülen wollten, weil sie offenbar solche MÄDCHEN wären!

„So eine FRECHHEIT!", zischte Rebekka. „Was hat er gegen Mädchen?"

42

Die Soldaten wateten auf uns zu und blieben schlitternd stehen. Hauptmann Hengist streckte die Brust raus und kniff sein gutes Auge zusammen. Das andere funktioniert nicht mehr richtig. Deshalb weiß man nie so genau, welches Auge einen gerade anguckt. Das ist ein bisschen verwirrend.

„EINWOHNER VON KLEIN-SCHMUDDELDORF", donnerte er. „ICH HABE EUCH EINE MITTEILUNG ZU MACHEN!"

Unter den Erwachsenen wurde Gemurmel laut. Sie sagten Sachen wie: „Oh, eine Mitteilung! Wie aufregend! Findest du nicht auch?" Und: „Oh ja, ich weiß, was du meinst. So eine Abwechslung muntert einen doch auf!"

Was ist mit den Erwachsenen? Sie reden oft so einen Unsinn! Ich glaube, irgendwann in ihrem Leben kriegen sie eine Geburtstagskarte mit einem Schein, auf dem steht:

Ich hoffe, ich bekomme nie so eine Karte, wenn ich

groß bin.

Hauptmann Hengist wurde ungeduldig.

„JETZT SEID ENDLICH STILL UND HÖRT ZU!"

Ein Spucketropfen flog aus seinem Mund und traf

Finn, der direkt vor ihm stand.

„Reizend!", sagte Rebekka laut und wischte die Spucke von Finns Kopf. Der hatte es anscheinend gar nicht gemerkt.

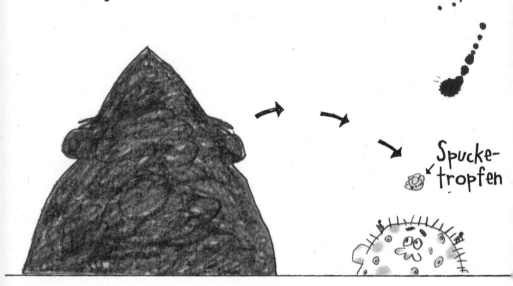

Spucke-tropfen

„ICH BIN HEUTE HERGEKOMMEN", rief der Hauptmann, „UM EUCH ZU SAGEN, DASS GRAF OSWIN DER URALTE TOT IST. SEIN NEFFE GRAF DENNIS HAT DIE BURG ÜBER-NOMMEN!"

Auf diese Nachricht folgten ein paar überraschte Ausrufe und noch mehr überflüssiges Gerede: „Oh je! Aber er hat ein stolzes Alter erreicht, nicht wahr?" Oder: „Das ist ja ein Ding! Wer hätte das gedacht?"

Zugegeben, ich war ein bisschen traurig. Oswin der Uralte war auf der Burg gewesen, solange ich zurückdenken konnte. Aber sein Name hätte mir eigentlich sagen müssen, dass er nicht mehr ewig Burggraf bleiben würde.

Doch der Hauptmann war noch nicht fertig.

„GRAF DENNIS LÄSST EUCH MITTEILEN, DASS ES EINIGE VERÄNDERUNGEN GEBEN WIRD. SEIN ONKEL, GRAF OSWIN DER URALTE, HAT DIE BURG NÄMLICH VERKOMMEN LASSEN. DA GIBT ES HOLZFÄULE, HOLZWÜRMER UND ANDERE SCHÄDEN!"

Er sah uns grimmig an, bevor er weitersprach.

„ALSO MUSS VON NUN AN JEDE FAMILIE IM DORF HOHE STEUERN ZAHLEN!"

Holzwürmer
(beim Holzfressen)

„Was hat er gesagt?", fragte Eds Opa.

„Er sagte, Graf Dennis hat Holzfäule", brüllte Mama ihm ins Ohr.

„Wozu sagt er uns das?", meinte Eds Opa. „Wir können doch nichts dagegen tun!"

„Was sind das denn für Steuern, die er von uns haben will?", fragte Papa den Hauptmann.

„Der Graf will Geld von euch. Für die Reparaturen an der Burg!", erwiderte Hauptmann Hengist genervt.

„Geld?", sagte Rebekkas Mama Mildred. „Wir haben kein Geld!"

Das war die Wahrheit.

Ich hatte noch nie Geld gesehen. NOCH NIE in meinem Leben.

„Was? Keiner von euch?", fragte der Hauptmann und starrte uns mit seinem guten Auge an, als würde er darauf warten, dass plötzlich jemand aufzeigt und sagt: „Hey, ich habe jede Menge GELD! Wie viel wollt ihr?"

„Was habt ihr denn sonst?", fragte er dann.

„Rüben", sagte Papa.

5. Kapitel

WIE WIR SPIONIEREN GINGEN

Hauptmann Hengist befahl allen, ihre Rüben herzugeben. Die Soldaten konnten aber nicht viele tragen. Sie hatten nur kleine Beutel für Geld mitgebracht. Deshalb wollten sie später noch mal mit großen Säcken wieder—kommen.

Ich dachte, die Erwachsenen würden AUSFLIPPEN oder so, weil wir ohne unsere Rüben nichts mehr zu essen hatten, aber sie taten nichts. Sie gingen einfach nur missmutig davon.

Robin regte sich ziemlich auf. Er meinte, wir sollten weglaufen und als Schurken im schwarzen Wald leben.

„Was für ein Quatsch!", sagte Rebekka. Sie fand, wir sollten einen Plan schmieden, weil die Erwachsenen nichts unternehmen wollten. Also dachten wir eine Weile darüber nach, was wir gegen den Grafen tun konnten.

Wir hatten VIER IDEEN:

1. Wir konnten Graf Dennis töten. (Das war Robins Vorschlag. Er wurde aus vielen Gründen abgelehnt. Hauptsächlich, weil jemanden töten unrecht ist und wir wahrscheinlich verhaftet und gehängt werden würden.)

2. Wir konnten den Rest der Rüben schnell irgendwo VERSTECKEN, sodass die Soldaten sie nicht fanden, wenn sie wiederkamen. (Diese Idee war schon etwas besser, aber noch lange nicht genial.)

3. Wir konnten den Soldaten zur Burg folgen und da ein bisschen rumspionieren. Den neuen Grafen abchecken und gucken, was eigentlich Sache war. Diese Idee fanden wir alle gut – auch weil wir uns so vor der Schule drücken konnten.

4. Ich habe vergessen, was die vierte Idee war.

PLÄNE gegen den GRAFEN

Nr. 1: Ihn töten

Nr. 2: Rüben verstecken

Nr. 3: Spionieren gehen

Also folgten Rebekka, Ed, Finn, Robin, Marwin und ich den Soldaten zur Burg.

Wir blieben in sicherem Abstand hinter ihnen. Robin meinte, wir müssten uns anschleichen wie richtige Spione. Also immer wieder hinter Büschen verstecken und im Zickzack den Berg raufhuschen wie Hasen. Marwin hielt sich nicht daran, weshalb wir oft über ihn gestolpert sind.

Als wir uns der Burg näherten, hörten wir, wie sich Leute alles Mögliche zuriefen. Zum Beispiel:

„NICHT FALLEN LASSEN, IDIOT! DAS IST SEHR WERTVOLL!“

Oder: „GEH DU NACH VORN! ICH SCHIEBE VON HINTEN!" Oder: „NIMM DAS BITTE VON MEINEM FUSS RUNTER! ICH GLAUBE, MEIN ZEH IST GEBROCHEN!"

Das klang alles sehr merkwürdig und rätselhaft. Also versteckten wir uns hinter einem kleinen stacheligen Busch, um uns anzusehen, was da vorging.

Kleiner stacheliger Busch

6. Kapitel

TOTAL WICHTIGE ENTDECKUNGEN

Vor der Burg standen viele Karren. Sie waren beladen mit den seltsamsten Dingen, die ich je gesehen hatte.

Soldaten luden sie ab und trugen sie in die Burg. Die Sachen sahen alle UNHEIMLICH teuer aus.

Ich spähte durch den Busch. „BOAH, guckt euch das mal an!"

„Was?", sagte Robin. „Ich kann nichts sehen!"

Dann raschelten ein paar Zweige, und Ed rief: „AUA!"

„Pst! Ruhe, sonst hören sie uns!", sagte Rebekka, und Ed jammerte:

„Ich hab mir ganz schlimm wehgetan!" Er quetschte sich neben mich und fragte: „Was ist denn da los?" Sein Gesicht war voll von blutigen Kratzern.

„Anscheinend war das mit den Schäden an der Burg eine dicke, fette Lüge", flüsterte uns Rebekka zu.

„Der Graf braucht unsere Steuern, um die schicken neuen Möbel und das ganze Zeug zu bezahlen!"

„He, guckt mal schnell!", sagte Finn, der sich inzwischen neben Ed gezwängt hatte. Er zeigte auf zwei Soldaten, die eine große nackte Frau trugen. Also, keine ECHTE nackte Frau.

Das wäre ja wohl zu krass gewesen! Es war eine Steinfigur. Und sie war TOTAL nackt bis auf

einen dünnen Streifen Stoff, der über bestimmten
Stellen lag.

Finn und Ed kicherten albern rum. Finn meinte, er
könnte ihren Po sehen.

„SEID VORSICHTIG MIT
DIESER STATUE,
IHR IDIOTEN! SIE
IST UNHEIMLICH
KOSTBAR!", rief ein

dicker Mann. Er kam aus

der Burg und trug eine

lila Toga.

„Wer ist DAS

denn?", zischte

Rebekka.

„Das könnte der

neue Graf sein", raunte ich

ihr zu.

„Ich finde, der sieht aus wie eine gierige fette
Kröte", sagte Robin und runzelte die Stirn.

Nun kam Hauptmann Hengist aus der Burg.

„Und, Hauptmann, wie sieht's aus?",
fragte der neue Graf.

„Ich habe die Bauern informiert, wie Sie
verlangt haben, Graf Dennis", sagte
der Hauptmann.

„Und?"

„Und was, Herr Graf?"

„Haben Sie die Steuern bekommen?"

„Äh, nicht direkt, Herr Graf."

„NICHT DIREKT? Was soll das
heißen? Was haben Sie denn bekommen?",
fragte der Graf.

Rüben

↓

„Rüben, Herr Graf", sagte Hauptmann
Hengist und schaute zu Boden.

„RÜBEN? WAS SOLL DAS
HEISSEN, RÜBEN?"

„Nun, die hatten kein Geld, Herr Graf. Die hatten nur Rüben."

Graf Dennis quollen die Augen aus

Noch 'ne Rübe dem Kopf. Jetzt sah er noch mehr

aus wie eine Kröte. Wie eine, die

ORDENTLICH zusammengequetscht

worden war. (Nicht dass ich so was JEMALS

getan hätte! Gut, einmal schon, aber das war

ein Versehen.)

Der Hauptmann fing an zu

schwitzen und zerrte am

Halsausschnitt seines

Kettenhemds, als ob

er nicht genug Luft

bekommen würde.

„RÜBEN!", sagte

der Graf noch mal.

„Was soll ich denn mit

RÜBEN anfangen? Mit RÜBEN kann man nichts

kaufen! Damit kann ich die wahnsinnig teuren Möbel aus ROM nicht bezahlen, die meine Frau bestellt hat! Wozu sind RÜBEN überhaupt gut? Man kann sie nicht mal ESSEN!"

„Die Bauern essen sie, Herr Graf. Ich glaube sogar, sie essen nichts anderes", sagte Hauptmann Hengist.

Rüben →

„Meine Güte, wirklich?", fragte der Graf.

„Wie viele Rüben haben diese stinkenden Bauern denn?"

„Sie haben Unmengen davon, Herr Graf", sagte der Hauptmann.

„Dann würden diese Rüben also viel Geld auf dem Markt bringen?", fragte der Graf und rieb sich die Hände.

„Ich glaube schon", sagte der Hauptmann.

In dem Moment kam eine dicke Frau in einer rosa Toga aus dem Tor. „Dennis!", rief sie. „Gluteus ist fast fertig. Aber er sagt, er braucht noch etwas Gold für den Marmor, den er in Rom bestellt hat."

„Den können wir uns nicht leisten, Matilda, meine Süße", sagte der Graf. „Warum ver–wendet er kein Holz? Wir haben jede Menge Holz. Es kostet uns gar nichts – der Wald ist voll davon!"

„Ach, sei nicht albern, Dennis!", plärrte Matilda. „Gluteus, mein Lieber, sagen Sie meinem Mann, warum wir den Marmor ganz einfach haben MÜSSEN!"

Ein Mann mit einem Hammer und ein paar Metall–rohren kam dazu. Er trug auch eine Toga. Was war das eigentlich für ein Toga-Auflauf hier? Waren jetzt alle komplett durchgedreht und Römer geworden?

„Salve, Graf Dennis", sagte der Toga-Mann und verbeugte sich. „Der Trendimus im Momentus in Rom ist absolutus in vino veritas der Marmor."

„Oooh! Hörst du, Dennis?", sagte Matilda. „Das ist RICHTIGES Latein!"

„Veni vidi vici, meine Dame", sagte der Römer mit einem schmierigen Lächeln und zwinkerte ihr zu.

„Oh, Gluteus! Sie sind ein Schelm!" Sie kicherte.

„Dennis, er hat gesagt, wir brauchen den Marmor UNBEDINGT!"

„Hat er das, meine Süße?", sagte Dennis matt.

„Der kann gar nicht RICHTIG Latein", zischte Rebekka. „Der redet einen Haufen BLECH!"

Der Graf wandte sich Hauptmann Hengist zu, der einen nervösen Eindruck machte. „Nun, Hauptmann, Sie haben die Gräfin gehört! Ich brauche sehr viele Rüben, wenn ich den Marmor aus Rom bezahlen will. UND das alles hier ..." Er zeigte auf die Karren voller römischer Sachen. „Sie müssen also noch mal runter ins Dorf und welche holen."

„Ja, Graf Dennis", sagte der Hauptmann.

„Wissen Sie was? Gleich nach dem Mittagessen begleite ich Sie ins Dorf. Das ist doch eine gute Gelegenheit, um mich den Bauern vorzustellen."

Als der Graf vor sich hinbrummelnd in die Burg ging, dachte ich über das nach, was wir bisher herausgefunden hatten:

1. Der Graf brauchte unsere Rüben nicht, um Reparaturen an der Burg zu bezahlen. Also war er ein LÜGNER.

2. Außerdem war er dumm. Er dachte, der Idiot in der Toga, der gar nicht richtig Latein konnte, wäre ein echter Römer.

3. Hauptmann Hengist hatte Angst vor ihm. (SEHR wichtig!)

Unmengen von Rüben →

7. Kapitel

ZWEI HILFREICHE NEUE FREUNDE

„Was machen wir denn jetzt, Ron? Er dreht DURCH,
wenn er das erfährt."

„Beruhige dich, Norman. Ich lasse mir was einfallen."

„Ist dir schon was eingefallen?"

„Nein."

Ein Stückchen den Berg runter begegneten wir den
beiden Soldaten, die sich im Dorf über das Marschieren
im Schlamm beschwert hatten. Sie sahen sich bestürzt
die Scherben eines ziemlich großen römischen Krugs an.

Ich fragte sie, was los ist. Eigentlich aus reiner
Höflichkeit. Denn man musste kein Genie sein, um zu
erkennen, was passiert war.

„Er ist mir einfach aus den Händen gerutscht",
sagte Ron. „Der Graf bringt uns um, wenn er es
erfährt."

„Dann sagt es ihm nicht", meinte Rebekka.
„Was?"

„Versteckt die Scherben", sagte ich.

„Der Vorschlag ist gar nicht schlecht, Ron", sagte Norman.

„Wie jetzt?", fragte Ron verdutzt. „Wir sagen es ihm einfach nicht?"

„Genau", sagte ich. Ich kenne mich nämlich mit so was aus. Wenn ich zu Hause was kaputt mache, vergrabe ich es draußen. Mama denkt dann, sie hat es verlegt oder so. Sollte sie allerdings jemals die Erde neben dem Schweinestall rechts von der alten Eiche umgraben, kriege ich einen RIESENÄRGER.

Wir halfen den beiden also, ein großes Loch zu graben.

Marwin machte eine Weile mit, aber als er keine

Eicheln fand, hatte er keine Lust mehr.

„Wie ist es denn so in der Burg mit dem neuen

Grafen?", fragte ich, als wir das Loch wieder zuschüt‐

teten. Ich bin gut darin, Sachen UNAUFFÄLLIG

rauszufinden. Der Trick ist, ganz beiläufig zu fragen.

Als wäre man gar nicht so interessiert.

„Hör bloß auf!", sagte Ron. „Wenn wir nicht

für ihn irgendwas durch die Burg tragen

müssen, kommandiert uns seine Frau

den ganzen Tag rum. Wir sind Soldaten

und keine verflixten Möbelpacker,

sage ich immer wieder. Nicht wahr,

Norman? Aber wir machen

alles Mögliche, was nichts

mit unserem Beruf zu tun

hat."

„Ja?", sagte ich. „Was denn?"

70

„Nun", sagte Norman. „Wir haben zum Beispiel Metallrohre und Holz und so bis ganz nach oben ins große Badezimmer geschleppt. Wie Knechte!"

„Ich glaube, SIE will unbedingt dieses große blubbernde Badedings haben, das sie bauen. Er ist nicht so begeistert davon."

Das klang interessant, also fragte ich: „Was ist dieses große blubbernde Badedings?"

„Nun", sagte Ron. „Wir haben da diesen Toga-Mann, der sich Gluteus Maximus nennt oder so ähnlich. Er baut das Ding und sagt, er ist ein echter römischer Installateur. Aber die Nachbarin von der Schwester meiner Frau kennt ihn. Sie sagt, er ist gar kein ECHTER Römer. Er heißt David und kommt aus Essex."

Ha, dachte ich, DESHALB kann der Typ nicht richtig Latein!

„Mir kam er schon komisch vor, als ich ihn gefragt habe, wie er hergekommen ist", sagte Norman. „Er meinte, mit dem Pferdewagen. Aber ich weiß ganz genau, dass man auf dem Weg von Rom zu uns mindestens einmal über das Meer muss. Und das geht nicht mit dem Pferdewagen. Gut, es ginge schon – aber man würde absaufen."

„Norman, wir beeilen uns besser", sagte Ron ängst-lich. „Sonst schreit SIE uns wieder an."

Also verabschiedeten wir uns, und sie liefen zurück zur Burg.

Ich war ziemlich zufrieden mit mir.

Der Weg von ROM zu uns

Hier leben die Pikten

Hier leben die Skoten

KLEIN-SCHMUDDEL-DORF

Sehr nass und nicht ohne Boot zu überwinden.

MEER

ROM

Wir hatten zwei SEHR hilfreiche Freunde gewonnen und noch viel mehr über den neuen Grafen herausgefunden:

1. In der Burg wurde etwas sehr Großes und Teures gebaut. (Was genau, wusste ich leider immer noch nicht.)

2. Ron und Norman waren mit dem neuen Grafen und seiner Frau definitiv nicht zufrieden.

3. Gluteus Maximus war kein richtiger Römer UND hatte nicht mal einen richtigen Namen. Rebekka meinte, übersetzt würde der Name so viel bedeuten wie „dicker Po".

Darüber kicherten Finn und Ed eine halbe Ewigkeit. Sie lachen über alles, was mit dem Wort „Po" zu tun hat. Als wir ins Dorf zurückgingen, fing es an zu regnen. Am Anfang waren es nur ein paar Tropfen.

Wir auf dem Weg ins Tal

Dann wurden es immer
mehr und mehr. Und bis wir im Dorf
ankamen, lief das Wasser in Strömen den
Berg runter.

Gajus übte mit den anderen Schönschreiben, als wir
in die Schule zurückkamen. Er fragte uns, wo wir
gewesen waren. Wir erzählten ihm alles, was wir oben
auf der Burg gesehen hatten. Und von Ron und Norman
und dem großen blubbernden Badedings.

75

Finn fragte Gajus, was ein Bad ist. Gajus meinte, es wäre so was wie ein großes Fass mit heißem Wasser, in dem die Römer stundenlang nackt rumsitzen. Das klang für mich ziemlich langweilig und sinnlos.

„Der neue Graf braucht unsere Rüben gar nicht für Reparaturarbeiten, nicht wahr, Herr Lehrer?", sagte Robin. „Er beutet uns Bauern nur aus, weil er eine gierige, fette Kröte ist, oder?"

„Ich fürchte, du hast recht, junger Robin. Und wir können leider nur wenig dagegen tun. Er ist der Graf, und ihm gehört das Dorf und jeder Einzelne von euch und das ganze Land ringsum. Er hat sehr viel Macht."

„Aber IRGENDWAS müssen wir doch tun können", sagte ich. „Oswin hätte uns niemals unsere Rüben weg-genommen, oder?"

„Nein, gewiss nicht, junger Sedrik. Und wenn ich mich recht erinnere, wollte er das Dorf in seinem Testament sogar mit einer kleinen Zuwendung bedenken."

DIE WAHRHEIT ÜBER DIE RÖMER

und wie sie besiegt wurden

Salve, Herren! Die Barbaren greifen an!

Die Römer badeten SO gern, dass sie mit dem Erobern aufhörten. Dadurch wurden sie ganz rosa und fett.

Barbar

Finn fragte, was eine Zuwendung ist, und Gajus sagte, es ist so was wie ein Geschenk. Und ein Testament, sagte er, ist eine Liste mit Sachen, die andere Leute bekommen sollen, wenn man stirbt.

Wenn ich sterben würde, wäre meine Liste ziemlich kurz.

Ich würde Rebekka Marwin hinterlassen.

Ansonsten wäre da nicht viel. Abgesehen von meiner getrockneten Kröte und meinem Stein, der wie ein Schädel aussieht. Ich glaube nicht, dass irgendjemand mein Testament besonders interessant finden würde.

Aber Oswins Testament? Das war natürlich was anderes!

8. Kapitel

ÜBERRASCHENDER BESUCH IM SCHLAMM

Gajus meinte, wir hätten genug über Bäder und Testamente geredet und müssten noch etwas Schreiben üben.
Doch nach kurzer Zeit schlief er wieder mal ein, und wir
liefen alle nach draußen.

Nach dem starken Regen war es sehr schlammig im Dorf.
Wir haben hier verschiedene Stufen von Schlammigkeit:

STUFE 1 – Etwas pappig, aber noch okay.

STUFE 2 – Sehr lehmig. Schlecht für alles, was Räder hat.

STUFE 3 – Gefährlich für kleine Kinder und kleine Tiere.

Heute hatten wir Schlammstufe 3. Deshalb haben wir „Stöcke und Steine" mit größeren Steinen gespielt.

Robin war ein bisschen zu stürmisch und traf mit seinem Stein aus Versehen Eds Nase. Die fing an zu bluten.

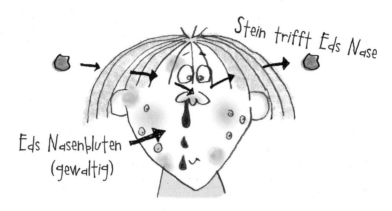

Stein trifft Eds Nase

Eds Nasenbluten
(gewaltig)

Ed kriegt immer gewaltiges Nasenbluten. Es kann stundenlang dauern. Er benutzt es oft, um sich vor der Schule zu drücken oder alte Frauen zu erschrecken.

Das Spiel und Eds Nasenbluten fingen gerade an, uns zu langweilen, als wir ein Geräusch hörten. Es klang, als würde eine Ente erwürgt. Aber Rebekka sagte, dass es ein Trompetensignal ist und von der Burg kommt.

Wir schauten den Berg hoch. Etwas sehr Merk-würdiges kam von da oben zu uns runter. Mehrere Soldaten zogen mit einem riesigen Ding von der Burg ins Tal. Und je weiter sie nach unten kamen, desto schneller wurden sie.

„HENGIST! WARUM SIND WIR SO SCHNELL?", rief jemand, der sich wie Graf Dennis anhörte.

„Der Wagen will nicht bremsen, Herr Graf!"

„WIE BITTE? ER WILL NICHT BREMSEN? DIE BLÖDEN SOLDATEN SOLLEN LANGSAMER MACHEN, SONST VERUNGLÜCKEN WIR!"

Es gab ein lautes Quietschen, das wie ein rostiges Rad klang. Aber die Soldaten und das Ding wurden immer schneller und schneller, bis sie am Fuß des Bergs im Schlamm stecken blieben.

„Was IST das?", fragte Ed. Wir schlichen uns an, um es uns genauer anzusehen.

„Das" war ein großer, goldglänzender Wagen. Er war mit bunten Bildern bemalt und mit Edelsteinen und anderen Verzierungen geschmückt.

Und auf dem Wagen standen der Graf und seine Frau. Sie klammerten sich an den Seiten fest und sahen

ZIEMLICH blass aus. Das kam wahrscheinlich von dem ganzen Geschaukel.

Ed wollte den Wagen unbedingt anfassen. Er fummelt gern an Sachen rum. Meistens fummelt er zu viel und macht irgendwas kaputt.

Schlechter Geruch

„Hengist!", zischte Matilda mit zusammengebissenen Zähnen. „Warum sind wir stehen geblieben, und woher kommt dieser EKELHAFTE Geruch?"

„Der Wagen ist im Schlamm stecken geblieben, gnädige Frau. Und der Geruch kommt von den Bauern."

„Was?", sagte Finn. „Wir riechen nicht!"

Ich sagte ihm, dass wir sehr wohl riechen. Also, ER roch auf jeden Fall. Aber nicht schlimm.

„Das ist das Tollste, was ich in meinem ganzen LEBEN gesehen habe! Was ist das?", wisperte Rubella.

„Es ist ein Römerwagen", sagte Rebekka.

„Das wusste ich", sagte ich. (Obwohl es nicht stimmte.)

„Nein, wusstest du NICHT", erwiderte Rebekka.

„Woher weißt du so was?", fragte Ed und strich begeistert über ein Rad des Wagens.

„Ich höre zu", sagte sie und zog Ed von dem Wagen weg.

Rebekka kann manchmal SO nervig sein.

„Wollen wir hier ewig im Regen in diesem schmuddeligen, stinkenden Dorf stehen, Dennis? Oder ziehen uns deine unfähigen Soldaten vielleicht IRGENDWANN hier raus?", wetterte Matilda.

„HENGIST! SORGEN SIE GEFÄLLIGST DAFÜR, DASS IHRE UNFÄHIGEN SOLDATEN UNS AUS DEM SCHLAMM ZIEHEN!"

Die Soldaten gaben sich alle Mühe. Sie zogen und
schoben und ächzten und schwitzten. Aber der Wagen
bewegte sich nicht.

„Ich glaube, der Graf und seine Frau sind ein biss—
chen zu ... äh ... schwer", raunte Ron dem Hauptmann zu.
„Wir schaffen es nie, wenn sie im Wagen bleiben."

„WIE BITTE? ICH BIN ZU
FETT?", polterte der Graf. Er hatte sehr gute

Ohren. Mama sagt immer, dass ich gute Ohren habe. Aber das heißt nicht, dass sie das gut findet. Sie meint damit, dass ich Sachen höre, die nicht für meine Ohren bestimmt sind.

„Nein, Herr Graf, natürlich nicht", sagte Ron.

„Gut. Wo sind die verdammten Bauern überhaupt, Hengist? Warum sind sie nicht gekommen, um mich zu empfangen?"

„Sie wussten wohl nicht, dass Sie kommen, Herr Graf", sagte der Hauptmann. Er sah ziemlich erschöpft aus. „Sie sind dort drüben und schützen sich vor dem Regen." Er zeigte auf meine Eltern und die anderen Dorfbewohner, die unter der alten Eiche standen.

9. Kapitel

NOCH MEHR SCHLAMM UND FETTE LÜGEN

„Wenn Sie aussteigen und zu den Leuten gehen würden, Graf Dennis, könnten wir es schnell hinter uns bringen und wären im Nu zurück auf der Burg", sagte Hauptmann Hengist nervös. Der Regen wurde wieder stärker.

„GEHEN? DURCH DIESEN SCHLAMM? HABEN SIE EINE AHNUNG, WAS MEINE SCHUHE KOSTEN?"

Hauptmann Hengist wusste es nicht. Ich auch nicht. Ich wusste nicht mal, dass man überhaupt Schuhe KAUFEN kann. Wir laufen normalerweise barfuß rum.

Wenn es im Winter kalt wird, binden wir uns einfach mit einer Schnur alte Säcke um die Füße.

„Gehen kommt also nicht infrage, Graf Dennis?"

„Auf keinen Fall", sagte der Graf.

„Wird's bald, Dennis?", zischte Matilda. „Wenn du nicht zügig erledigst, was du hier zu erledigen hast, und mich nicht sofort aus diesem Dorf bringst, aus diesem nassen Schlammhaufen, dann fange ich an zu schreien ..."

„Haben Sie noch andere Vorschläge, Hengist?", fragte der Graf.

„Sie könnten rufen, Herr Graf", sagte der Hauptmann.

„Können die mich denn hören?", fragte der Graf.

„Ich bin nicht sicher, aber es ist einen Versuch wert", meinte Hengist.

„EINWOHNER VON KLEIN-SCHMUDDELDORF", rief der Graf. „ICH BIN HEUTE HERGEKOMMEN, UM MICH UND MEINE BEZAUBERNDE EHEFRAU MATILDA ...“

„Was hat er gesagt?", rief Eds Opa, der auch unter der alten Eiche stand.

„Er sagte, er hat eine bezaubernde Frau", rief Mildred.

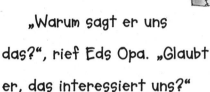

„Warum sagt er uns das?", rief Eds Opa. „Glaubt er, das interessiert uns?"

Der Graf redete weiter. „... UND BIETE EUCH EINE EINMALIGE GELEGENHEIT!"

„Lauter! Wir hören nichts!", rief Mildred.

„FÜR DIE REPARATUREN AN UNSERER SCHÖNEN BURG BRAUCHE ICH EURE GESAMTEN RÜBEN! ABER IHR WERDET DAFÜR DIE EWIGE DANKBARKEIT MEINER FRAU UND MIR HABEN UND DIE

FREUDE, DASS IHR UNSERE PRÄCH-
TIGE BURG VOR DEM VERFALL
GERETTET HABT!"

„Was erzählt er jetzt wieder?", rief Eds Opa.

„Er will alle unsere Rüben mitnehmen, damit seine

Burg nicht zusammenfällt", rief Mama.

„Gute Sache", sagte Mildred.

Ich konnte es nicht mehr aushalten.

„GLAUBT IHM KEIN WORT!",
rief ich. „DIE BURG BRAUCHT
KEINE REPARATUREN! ER WILL
UNSERE RÜBEN, DAMIT ER SEINE
GANZEN TEUREN RÖMISCHEN
SACHEN BEZAHLEN KANN. ABER
OHNE UNSERE RÜBEN WERDEN
WIR VERHUNGERN!"

Der Graf starrte mich wütend an, dann zwang er

sich rasch zu einem Lächeln. Es sah sehr angespannt

aus. Als würde er nicht so oft lächeln. „Wer hat dir

denn diesen Floh ins Ohr gesetzt, mein Kleiner? **NATÜRLICH** sind die Rüben für die Reparaturen an der Burg!"

„NEIN, SIND SIE NICHT!", rief Rebekka. „SEDRIK HAT RECHT. DER GRAF WILL DAMIT SEINE SCHICKEN MÖBEL UND STATUEN UND SO BEZAHLEN!"

Graf Dennis gefror das Lächeln im Gesicht. „Hengist!", zischte er. „Schaffen Sie sie fort! Und wenn sie Probleme machen, werfen Sie sie zu den Ratten in den Kerker!"

Das hörte sich nicht gut an. Doch bevor der Hauptmann irgendwas tun konnte, wedelte Matilda plötzlich kreischend mit den Armen. Ein Schwarm wütender Wespen schwirrte um ihren Kopf.

Aber woher kamen sie? Ich sah mich um und entdeckte eine kleine Gestalt mit Kapuze bei dem Baumstumpf an der Brücke.

Es war Robin. In dem
Stumpf war ein Loch,
und er stocherte
mit einem Stock
darin rum. Unmengen
von Wespen schwärmten
aus und kamen in unsere
Richtung.

Oh je, dachte ich. Das wird ein
GANZ böses Ende nehmen.

Diese ist besonders biestig

Wütende Wespen

Kapitel 10

HILFE, WESPEN!

Es gab eine Menge Geschrei und Armgewedel. Die Wespen waren sehr wütend, und der Graf war es auch. Matilda schrie und schrie. Und wenn sie gerade nicht schrie, dann plärrte sie, dass sie NIE WIEDER in unser schmuddeliges Dorf kommen würde, wirklich nie wieder! Mir war das recht. Wir hatten sie ja auch nicht hergebeten. Ich hoffte, ihr würde eine Wespe in den offenen Mund fliegen. Dann wäre endlich RUHE.

Die Soldaten bemühten sich immer noch, den Wagen aus dem Schlamm zu ziehen. Aber er sank nur noch tiefer ein.

„HENGIST!", brüllte der Graf. „WO ZUM HADES SIND SIE? WARUM

HOLEN SIE UNS NICHT HIER
RAUS?"

„AUA! DENNIS!", schrie Matilda. „Ich wurde

gestochen, und ich habe Wespen in den HAAREN!

MACH SIE SOFORT WEG!"

Matilda schlug voller Panik um sich. Und weil in dem

Wagen nicht viel Platz war, bekam Dennis einen Schlag

ab.

Er verlor das Gleichgewicht. Und dann stürzten
sie beide rückwärts von dem Wagen in den Stufe—3—
Schlamm.

In diesem Moment flippte Marwin aus. Bevor ich ihn
halten konnte, sprang er auf Matildas Bauch, hüpfte
begeistert auf ihr rum und schleckte ihr das Gesicht ab.

Er hatte sie anscheinend gern. Vielleicht erinnerte
sie ihn an seine Mutter. Sie sah ja auch ein bisschen
so aus wie ein rosa Schwein.

Matilda schrie und schrie und wurde immer lauter. Und dann muss sie wohl in Ohnmacht gefallen sein. Denn plötzlich hörte sie auf zu schreien. Der Graf allerdings nicht.

„HENGIST! Holen Sie uns sofort hier raus, und NEHMEN SIE DAS SCHWEIN FEST!", schrie er.

Ich dachte, ich hätte mich verhört, aber dann rief Hauptmann Hengist den Soldaten zu: „Ihr habt gehört, was der Graf gesagt hat –

NEHMT DAS SCHWEIN FEST!"

„Aus welchem Grund?", fragte einer.

„EINFACH, WEIL ES DA IST! MUSS ICH DENN HIER ALLES ERKLÄREN?", brüllte der Graf. „BRINGT ES IN DIE KÜCHE, UND GEBT ES DEM KOCH! Und Hengist, nehmen Sie den Karren, und holen Sie sich SÄMTLICHE Rüben! Und wenn sich diese stinkenden Bauern wehren, machen Sie ihnen klar,

dass das KONSEQUENZEN hat!"

Dann wurden Dennis und Matilda aus dem Schlamm
gezogen, und es gab noch viel mehr Geschrei. Es fielen
eine Menge Schimpfwörter, aber schließlich wurden sie
weggetragen. Den Berg hoch und zurück zur
Burg.

Dann klemmte sich ein großer,
starker Soldat Marwin unter den
Arm.

Marwin guckte ganz traurig
und verwirrt aus seinen kleinen Schweineaugen. Und ich
konnte nur tatenlos zusehen,
wie er fortgetragen wurde.

Es war alles so schnell
gegangen!

Warum hatte ich ihn nicht daran
gehindert, auf Matilda herumzuhüpfen?

Vielleicht hätte ich ihn besser erziehen sollen. Ich kämpfte mit den Tränen. Rebekka legte einen Arm um mich und drückte mich.

Aber Hauptmann Hengist brüllte immer noch rum.

„ALSO, IHR SCHMUDDELIGEN BAUERN! MEINE SOLDATEN ZIEHEN JETZT EINEN KARREN DURCHS DORF. IHR MÜSST IHNEN EURE GANZEN RÜBEN GEBEN, UND WENN SICH JEMAND WEIGERT, HAT DAS KONSEQUENZEN!"

Es gab das übliche dusselige Gebrabbel, zum Beispiel: „Was meint er mit Konsequenzen?" Und: „Was fragst du mich!" Und: „Ist das nicht so was Ähnliches wie Brom—beeren?" Und: „Nein, ich glaube, man stippt sie in den Rübentee."

„Was SIND denn überhaupt Konsequenzen?", rief Rebekka.

Der Hauptmann kam Rebekka mit seinem bärtigen Gesicht ganz nah. „Konsequenzen, das bedeutet, wenn ihr mir nicht sofort eure Rüben gebt, passieren SCHLIMME Dinge!"

„Was für schlimme Dinge?", fragte Rebekka und sah ihm geradewegs in die Augen.

„Hmm, mal überlegen. Oh ja. Hütten könnten zum Beispiel in Brand geraten, Kinder könnten verschwinden oder Leute auf rätselhafte Weise vergiftet werden. Ich denke, ihr habt verstanden."

Konsequenzen sind also das Gleiche wie Drohungen, nur dass das Wort schwieriger ist, dachte ich.

„LOS, MÄNNER! MACHT DEN KARREN VOLL!", rief der Hauptmann.

„Den Karren? Welchen Karren?", fragte Norman.

Der Hauptmann kniff nochmals sein gutes Auge zusammen. Das andere fing an zu zucken.

„Den Karren, den ihr für die Rüben mitgebracht habt, DUMMKOPF!"

„Aber Sie haben nichts von einem Karren gesagt, Chef. Sie haben nur gesagt, wir sollen den Wagen reinigen und Graf Dennis und seine Frau ins Dorf bringen."

Der Hauptmann stutzte, als ihm klar wurde, dass Norman recht hatte. Er hatte vergessen, einen Karren mitzunehmen.

Ist euch das schon mal aufgefallen? Leute, die einen Fehler gemacht haben, sind immer sauer auf den, der sie darauf hinweist.

Hauptmann Hengist ist STINKSAUER, weil er vergessen hat, einen Karren mitzubringen.

„Dann steht nicht einfach herum wie Idioten!
BESORGT EINEN!", brüllte der Hauptmann.

„Aber wo?", fragte Norman.

Unser Rübenkarren ragte ein Stückchen hinter dem
Rübenlager hervor. Mit seinen scharfen Augen entdeckte Hengist ihn sofort.

„DA DRÜBEN! NEHMT DEN!
MANNOMANN, MUSS ICH DENN AN
ALLES DENKEN?"

Und so mussten wir zusehen, wie die Soldaten
UNSEREN karren mit UNSEREN Rüben beluden.
Für uns würde keine übrig bleiben.

Keine einzige Rübe. Und ohne Rüben würden wir alle verhungern.

Was sollten wir bloß tun?

II. Kapitel

PROTEST MIT PLAKATEN

Am nächsten Morgen weckte mich das Grummeln und

Rumpeln in meinem Bauch.

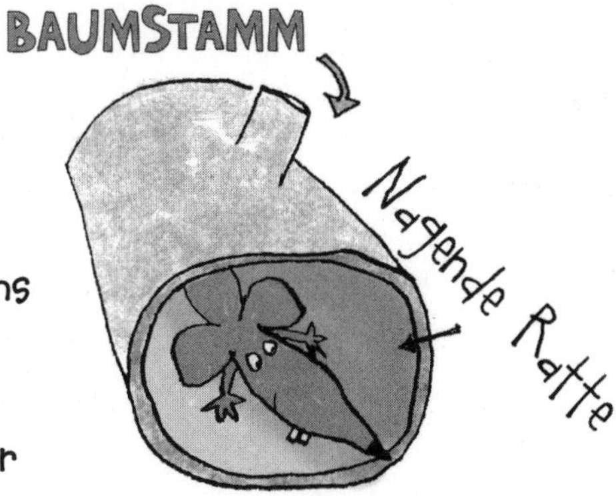

Es klang wie ein hohler Baum—

stamm mit Ratten drin,

die alles abnagen. Ich guckte ans

Fußende meines Betts.

Aber da, wo Marwin sonst immer

lag, war nur ein leerer Fleck.

BAUMSTAMM

Nagende Ratte

Ich fühlte mich so elend, wie ich mich in meinem

ganzen Leben noch nicht gefühlt hatte.

Ich stand auf und ging zum Tisch. Mama stellte mir

einen Teller mit grünem Zeug hin.

„Was ist das?", fragte ich sie.

„Das ist eine schöne Portion Gras, Sedrik. Dein Vater hat es heute Morgen frisch geschnitten. Es ist ganz lecker, wenn man sich einmal an den bitteren Geschmack gewöhnt hat."

„Danke, aber ich verzichte", sagte ich. Ich esse nämlich grundsätzlich nichts GRÜNES. Wir haben früher mal Grünzeug angebaut. So kleine runde Dinger. Die waren EKELHAFT. Ich glaube, das nannte sich Rosenkohl.

Rosenkohl (Igitt!)

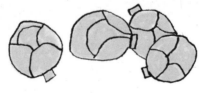

Rebekka kam mich abholen. Mama bot ihr auch was von den Grashalmen an. Aber sie lehnte dankend ab. Ihre Mutter hatte ihr zum Frühstück ein paar Nesseln gekocht.

„Wir bekommen Marwin zurück, Sedrik. Ist doch klar, oder?", sagte sie auf dem Weg zur Schule. „Was immer wir dafür tun müssen, wir WERDEN ihn retten!"

„Danke, Rebekka", sagte ich. Ich wollte ihr so gern glauben. Aber ich stellte mir die ganze Zeit vor, wie Marwin dem dicken Graf Dennis und seiner dicken Frau auf einer Platte serviert wurde. Mama hat schon mal damit gedroht, Marwin zu braten, als sie sehr sauer auf ihn war. Zum Bei- spiel, als er mal einen Topf Rübensuppe umgestoßen hat. Oder als er schlafend mitten in der Hütte lag und sie über ihn stolperte und sich einen Zahn ausschlug.

Damals war sie ziemlich wütend und sagte schreck-
liche Dinge, aber ich wusste, dass sie es nicht so
meinte.

Die dicke Matilda sah jedoch so aus, als könnte sie
Marwin jederzeit als Zwischenmahlzeit verputzen.

Als wir in die Schule kamen, kontrollierte Gajus
schon die Anwesenheit.

„Robin?"

„Hier!"

„Robin, was den Vorfall mit den Wespen angeht",
sagte Gajus. „So etwas darf sich NICHT wieder-
holen!" Robin nickte und wurde rot.

„Gut", sagte Gajus. „Dann wollen wir nicht mehr
darüber reden. Finn?"

Keine Antwort.

„Hat jemand den jungen Finn gesehen?", fragte Gajus.

Wir schüttelten alle den Kopf. Ed meinte, Finn wäre
bestimmt vor Hunger gestorben. Und dass UNS das
demnächst auch passieren würde, so ganz ohne Rüben.

Unsere Bäuche machten laute Rumpelgeräusche, die wie Donner klangen.

Dann stand Finn plötzlich in der Tür. Er sah sehr blass aus. „Tut mir leid, dass ich zu spät bin, aber ich wäre fast gestorben."

„Kannst du das bitte erklären, Finn?", sagte Gajus.

„Also, gestern", sagte Finn, „als unsere Rüben weg
waren, da hatte ich großen HUNGER. Die irre
Warzen–Edna gab mir was, das sie aus irgendwelchen
Wurzeln gemacht hatte. Es roch furchtbar, aber sie
sagte, es wäre okay. Also habe ich es gegessen, weil ich
SO hungrig war. Aber wie sich herausstellte, war es

nicht okay. Und jetzt bin ich hundemüde, weil ich vor lauter Durchfall und Brechen nicht viel geschlafen habe."

„Das ist ja EKELIG! Sagen Sie ihm, er soll still sein, Herr Lehrer", sagte Rubella.

„So genau wollte ich es nicht wissen, Finn, aber danke für die Information", sagte Gajus.

Ich hatte allmählich genug von dem widerlichen Thema. Also sagte ich: „Wir müssen etwas gegen Graf Dennis tun, Herr Lehrer. Wir werden alle vor Hunger sterben. UND er hat mir Marwin weggenommen! Das ist doch Diebstahl! Wenn unsere Eltern nichts unternehmen, dann müssen WIR was tun, oder?"

„Warum gehen wir nicht einfach zur Burg und pusten ihm das Licht aus, Herr Lehrer?", fragte Robin.

„Graf Dennis das Licht auspusten ist nicht so eine gute Idee, Robin. Es sei denn, du willst im Kerker landen", meinte Gajus.

„Was können wir denn dann tun?", fragte Rebekka.

„Wie wäre es mit friedlichem Protest?", sagte Gajus. „Ihr könntet Plakate machen und damit zur Burg gehen. Vielleicht könnt ihr sogar mit Graf Dennis sprechen und ihm sagen, was ihr denkt."

„Wird das was nützen?", fragte ich.

„Wahrscheinlich nicht, Sedrik, aber vielleicht fühlt ihr euch dann ein bisschen besser."

Wir bastelten uns also Plakate aus Holzbrettern, auf die wir unsere Forderungen schrieben. Nur Rubella wollte nicht. Sie meinte, sie würde lieber in ein Hornissennest springen als irgendwelchen Quatsch aufschreiben, den eh niemand liest. Von mir aus konnte sie das ruhig machen.

Auf meinem Plakat stand:

Robins sah so aus:

Und Rebekkas so:

Rebekka teilte sich ihr Plakat mit Finn, weil er nicht
so gut schreiben kann. Und Ed machte sich keins, weil er
meinte, wir hätten schon alles genannt, was er sagen
wollte.

Als wir die Plakate fertig hatten und bereit für den Marsch zur Burg waren, fragte Rubella: „Wo wollt ihr denn jetzt mit euren blöden Holzdingern hin?"

Rebekka erwiderte, dass es keine blöden Holzdinger sind und dass sie besser mal zugehört hätte.

„Das sind Plakate", sagte Robin von oben herab. „Und wir gehen jetzt zur Burg."

„Und du kommst NICHT mit!", fügte Rebekka schnell hinzu.

„Ich kann doch mit, wenn ich will, Herr Lehrer, oder?", fragte Rubella.

„Es spricht nichts dagegen, dass die junge Rubella euch begleitet", sagte Gajus. „Und die junge Gerti kann natürlich auch mit. Ihr tut es doch zum Wohl des GANZEN Dorfes."

Ich wusste, dass Gajus recht hatte, aber es stank mir UNHEIMLICH.

12. Kapitel

UNSERE DEMO VOR DER BURG

Auf dem Weg zur Burg wurde furchtbar viel gejammert.

Hauptsächlich von Finn. Er klagte die ganze Zeit, dass

er **WIRKLICH** bald vor Hunger sterben würde, und

ob das eigentlich allen egal

wäre.

Ich sagte ihm, dass es uns natürlich nicht egal war.
Aber als er immer weiter jammerte, fragte ich ihn, ob er
sich nicht ein bisschen mit dem Sterben beeilen könnte,
wenn er schon am Verhungern wäre. Er ging mir nämlich
wahnsinnig auf die Nerven.

Mein Bauch war inzwischen noch hohler als ein hohler
Baumstamm. Es war, als hätten die Ratten alles
verputzt, was sie finden konnten.
Und als würden sie in meinem Magen
Trommeln schlagen.

Rubella war die Einzige, die
NICHT klagte. Sie faselte
allerdings ständig
davon, dass sie
unser stinklangweiliges, schmuddeliges,
armes Dorf garantiert eines Tages verlassen würde.
Und dass sie dann auf einer großen Burg wohnen und
teure Kleider, viele Diener und HAUFENWEISE Gold
besitzen würde.

Ratte beim Trommeln
↓

Das war also die Erklärung dafür, dass sie unbedingt hatte mitkommen wollen! Rebekka meinte, sie wäre verrückt, weil es absolut ausgeschlossen wäre, dass sie jemals auf einer Burg wohnen würde.

Als wir die Burg erreichten, war alles ganz ruhig.

Robin klopfte an das große Tor. Nach einer Weile wurde ein kleines Schiebefenster geöffnet.

Ein Gesicht mit einem roten Bart tauchte auf.

„Ja?", sagte es.

„Könnten wir bitte mit Graf Dennis sprechen?", fragte ich höflich.

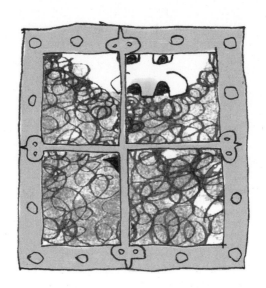

„Habt ihr einen Termin?", fragte das rotbärtige
Gesicht.

Robin fragte, was ein Termin ist. Das Gesicht sagte,
wenn wir das nicht wüssten, dann hätten wir auch keinen. Dann knallte das Fenster wieder zu.

Ed klopfte noch mal. Das Fenster ging wieder auf.

Ed fragte, ob wir denn einen Termin haben könnten.
Der Rotbärtige sagte, das ginge nicht, weil der Graf
viel zu beschäftigt wäre, um mit kleinen, unwichtigen
Bauern zu reden. Er schickte uns weg und drohte, wenn

wir ihn noch mal belästigen würden, kämen wir in den

Kerker zu den Ratten. Dann ging das Fenster wieder zu.

„Unverschämtheit!", meinte Rebekka.

Ich muss sagen, ich war ein bisschen enttäuscht.

Damit hatten wir nicht gerechnet.

Robin meinte, wir dürften nicht einfach kampflos

aufgeben. Und Finn sagte, er bräuchte was zu essen,

sonst würde er jetzt WIRKLICH bald vor Hunger

sterben.

Weil wir nicht in die Burg konnten, beschlossen wir,

davor auf und ab zu marschieren und laut zu rufen,

damit der Graf auf uns aufmerksam wird.

Zuerst rief jeder was anderes, aber das ergab nur

ein unverständliches Stimmengewirr. Dann stritten wir

ewig darüber, was wir GEMEINSAM rufen wollten.

Rubella meinte, ihr wäre piepegal, was wir rufen, wenn

wir nur mit dem langweiligen Gerede aufhören würden.

Wir hielten also unsere Plakate hoch, marschierten an

der Burgmauer entlang und riefen:

„WIR WOLLEN MARWIN UND
UNSERE RÜBEN ZURÜCK!"

Nach ein paar Fehlstarts hatten wir den richtigen

Rhythmus raus.

Aber schreiend auf und ab marschieren und dabei schwere Plakate tragen macht ziemlich schlapp, wenn man den ganzen Tag nichts gegessen hat. Nach einer Weile blieben Finn und Ed stehen und machten Pause.

DIE RAICHEN SOLLN DEN ARMEN NIX WEGNEHM!

FRAIHAIT FÜR MARWIN! SCHLUS MIT DEN RÜBN!

GIP SEDRIK SEIN SCHWEIN ZURÜK UN UNZ DIE RÜBN!

Danach setzte sich auch Robin hin. Und Rebekka und ich, wir setzten uns dazu.

„Sieht nicht so aus, als hätte uns jemand bemerkt", sagte Robin.

„Das war's dann also", sagte Ed. „Wer kommt mit nach Hause?"

„Was?", rief Rebekka. „Du kannst nicht einfach aufgeben. Was ist mit Marwin? Wir müssen Sedrik helfen, ihn zu befreien!"

„Tut mir leid, Sedrik", sagte Ed. „Ich weiß, er ist dein Freund. Aber die Wahrscheinlichkeit, dass wir in die Burg gelangen, ist so groß wie die, dass die irre Warzen-Edna Schönheitskönigin wird! Und selbst WENN wir reinkommen, werden wir vermutlich erwischt und landen im Kerker. Und ich sterbe lieber vor Hunger, als mich bei lebendigem Leib von Ratten auffressen zu lassen."

„Das ist mal wieder TYPISCH!", rief Rebekka. „Gleich bei dem ersten klitzekleinen Problem aufgeben!"

Finn senkte den Kopf und brummelte, dass er enge Räume nicht mochte und im Kerker Panik kriegen könnte. Ed hielt sich nur stöhnend den Bauch und sah immer elender aus. Rubella meinte, es wäre ihr schnuppe, ob mein dusseliges Schwein gegessen wird. Sie und Gerti wollten zurück ins Dorf.

„Na gut!", rief Rebekka verärgert. „Macht doch, was ihr wollt, ihr Feiglinge! Ich bleibe bei Sedrik!"

Ed, Finn und Robin passte es anscheinend nicht, als FEIGLINGE beschimpft zu werden. Denn plötzlich meinten sie, ins Dorf zurückkehren wäre Quatsch, weil es da eh nichts zu essen gibt. Und dass sie genauso gut bleiben konnten, um mir bei Marwins Rettung zu helfen.

13. Kapitel

DUNKEL, NOCH DUNKLER, STOCKDUNKEL

Wir beschlossen zu warten, bis es dunkel war. Dann wollten wir versuchen, uns irgendwie in die Burg einzuschleichen. Also versteckten wir uns alle hinter einem Busch an der Burgmauer und setzten uns ins Gras.

Endlich brach die Dunkelheit an. Also, ANBRECHEN stimmt eigentlich nicht. Wie soll die Dunkelheit das auch machen? Die Dunkelheit KAM einfach. Ganz langsam.

Ich versuchte, nicht ständig daran zu denken, was mit Marwin passiert sein könnte. Womöglich schmurgelte er schon am Bratspieß! Oder in der Bratpfanne! Oder er lag mit einem Apfel in der Schnauze auf einer Servierplatte!

„Hast du gehört, was ich gesagt habe, Sedrik?", fragte Rebekka.

„Was?", sagte ich.

„Tschuldigung, hab nicht zuge-hört."

„Ich sagte, lass uns ,Ich sehe was, was du nicht siehst' spielen!"

Ich fing an und nahm die Burgmauer. „... und das ist BRAUN," Robin nahm einen FROSCH, aber keiner konnte ihn sehen. Robin sagte, er wäre gerade weggehüpft, also galt es trotzdem.

Weghüpfender Frosch →

Dann wurde es noch dunkler, und Rebekka nahm eine Fledermaus und Finn eine Eule.

Und irgendwann konnten wir nur noch den 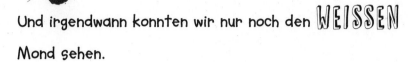 WEISSEN Mond sehen.

Ich fragte mich, ob die in der Burg wohl hören konnten, wie unsere leeren Mägen knurrten.

Plötzlich packte mich Ed am Arm. Ob ich die feuerroten Augen da hinten im Dunkeln sehen könnte, fragte er. Ich konnte gar nichts sehen. Aber Robin meinte, es wäre wahrscheinlich der Riesenhase.

„Was für ein Riesenhase?", fragte Ed.

Glotzaugen →

RIESENHASE →

Große Zähne →

Und Robin sagte: „Der geifernde Riesenhase mit den roten Glotzaugen und den großen Zähnen, der nachts in Hütten einbricht und Kinder frisst."

Ed fing an zu wimmern. Rebekka meinte, wir sollten den Blödsinn lassen und dass es diesen Riesenhasen gar nicht gibt. Und dass wir uns besser überlegen sollten, wie wir Marwin retten konnten, statt uns gegenseitig Angst zu machen.

Also überlegten wir und kamen auf Folgendes:

1. Wir konnten uns eine lange Leiter suchen und über die Mauer klettern.

2. Einen großen Bären mit richtig großen Freunden besorgen und sie das Burgtor mit ihren Riesentatzen einreißen lassen.

3. Im Dunkeln sitzen bleiben, bis wir zu Gerippen wurden.

4. Zu Nummer vier kamen wir nicht mehr, weil Ed plötzlich schrie: „Hilfe! Da hat sich was bewegt! Da ist irgendwas!"

„Wir werden alle sterben!", wimmerte Finn.

Plötzlich sahen wir, wie eine dunkle Gestalt hinter einem Strebepfeiler der Burgmauer hervorkam. Und wir hörten ein merkwürdiges Klimpern.

STREBEPFEILER (der): eine aus Stein gebaute Stütze an einer Mauer. Sie verhindert, dass die **Mauer** umkippt oder einstürzt.

„Was ist das?", wisperte Robin.

„Das ist der Riesenhase!", zischte Ed.

Die dunkle Gestalt kam auf unseren Busch zu.

„Psssst!", machte ich, und alle waren still.

Aber wie konnten fünf leere Mägen und die Atem—
züge von fünf Leuten nur so einen Lärm machen?

Das komische Klimpern kam näher.

„AUA! Mein Fuß!", rief Finn.

„AU, VERFLIXT!", sagte jemand. Es war ein
Mann in einer Toga, der mit dem Gesicht nach unten im
Gras lag.

Er hatte einen Beutel dabei, aus dem Münzen und
Schmuckstücke herausgefallen waren. Der Mond schien
auf den Beutel, und darauf stand: Gluteus Maximus,
echter römischer Installateur der Könige und Stink—
reichen.

Der Mann richtete sich auf.

„Salve!", sagte er, als er uns sah. Dann stopfte er
die Sachen hastig in den Beutel und tat ganz unschuldig.

„Nomen est omen ... äh ... et cetera ... äh ... pro bonus!"

„Sparen Sie sich Ihr Möchtegern-Latein", sagte Rebekka. „Sie sind gar kein echter Römer, oder?"

David aus Essex steckte die letzten Münzen in den Beutel. „Das behaltet ihr aber für euch, ja?", sagte er.

„Nur, wenn Sie uns zeigen, wie man in die Burg kommt", erwiderte Rebekka.

„Da! Hinter diesem Strebepfeiler", sagte er und zeigte in die Richtung, aus der er gekommen war.

„Was ist da?", fragte ich.

„Das werdet ihr schon sehen!" Damit schnappte er sich seinen Beutel und verschwand in der Dunkelheit.

Eine Menge gestohlene Sachen

Ich fragte die anderen, ob wir nicht was unter—

nehmen sollten, weil der Kerl das ganze Zeug geklaut

hatte. Aber Robin meinte, es wäre okay, den Reichen

was wegzunehmen, wenn man es den Armen geben

würde. Und Rebekka sagte, weil der Graf uns

AUCH was weggenommen hatte, wäre es praktisch

ausgeglichen.

14. Kapitel

IM KERKER BEI DEN RATTEN

Hinter dem Strebepfeiler war eine kleine Tür versteckt.

Kleine Tür zum Rein- und Rausschlüpfen

„Das ist ja ein Ding!", sagte Rebekka. „Unglaublich! Als sie diese riesige Burg mit den hohen Mauern und den großen Holztoren gebaut haben, muss einer gesagt haben: ‚Ich weiß, was hier fehlt! Machen wir eine kleine Tür, durch die man schnell mal rein- und rausschlüpfen kann.'"

Wir schlüpften also durch die kleine Tür rein und kamen in einen langen, dunklen, feuchten Tunnel.

„Wir sind auf dem Weg zum Kerker", sagte Rebekka.

„Woher weißt du das?", fragte Finn.

„Da oben ist ein großes Schild, auf dem steht: ZUM KERKER", sagte Rebekka.

Wir hörten unheimliche Tropfgeräusche und Geraschel, das nach winzigen Füßen auf Stroh klang.

„Das sind Ratten!", sagte Finn.

„Die gleichen Ratten wie die, die uns bei lebendigem Leib auffressen, wenn Hengist uns erwischt?", quiekte Ed.

„Du kannst ja wieder gehen, wenn du willst", sagte ich.

„Nein, ich hab kein Problem damit", meinte er, aber das nahm ich ihm nicht ab.

Wir schlichen, so leise wir konnten, vorwärts, bis wir plötzlich Schritte hinter uns hörten.

„Irgendein Idiot hat die kleine Tür zum Rein— und Rausschlüpfen offen gelassen", sagte jemand. Wahrscheinlich ein Wachsoldat.

„Was? Meinst du, jemand ist rausgeschlüpft?", fragte ein anderer.

„Keine Ahnung. Es kann auch jemand reingeschlüpft sein."

„Stimmt. Hast du die Tür wieder zugemacht?"

„Natürlich habe ich sie zugemacht. Und abgeschlossen. Heute Nacht schlüpft hier keiner mehr rein oder raus."

Au Backe, dachte ich. Jetzt mussten wir einen anderen Ausgang finden.

Wir gingen auf eine Tür zu. Die Stimmen kamen näher.

„Los, hier rein!", zischte ich und schob die anderen durch die Tür. Ich konnte sie gerade noch hinter mir zumachen, als die Wachsoldaten auch schon vorbei-marschierten.

In dem Raum, in dem wir uns befanden, war es sehr, sehr dunkel. So dunkel, dass ich nicht mal meine Füße sehen konnte.

Als sich meine Augen daran gewöhnt hatten, konnte ich die anderen erkennen. Dann hörte ich Piepslaute. Ich guckte nach unten und sah rattenförmige Schatten über den Boden huschen.

Wir waren echt in einem richtigen KERKER gelandet!

„HILFE!", quiekte Ed. „Mich hat was gebissen!"

„PSSST!", machte Rebekka.

„AU!", rief Finn. „ICH WILL HIER RAUS!"

Von draußen waren schnelle, schwere Schritte zu hören. Die Soldaten kamen zurück! Als sie fast an der Tür waren, kam mir der Gedanke, dass ich gern mehr im Leben erreicht hätte, als zu versuchen, ein Schwein zu retten, und stattdessen im Kerker von Ratten gefressen zu werden.

Aber da wisperte Robin plötzlich: „Jetzt ist ein Ablenkungsmanöver angesagt! Wartet hier, bis sie weg sind, und dann lauft schnell weg!" Und bevor ich ihn fragen konnte, was ein Ablenkungsmanöver ist, setzte er seine Kapuze auf und huschte aus der Tür.

„Da ist er!", rief ein Wachsoldat. „Schnappen wir ihn uns!"

15. KAPITEL

TUNNEL, TREPPEN UND TÜREN

Sobald die Schritte verklungen waren, verließen wir den Kerker und machten die Tür fest hinter uns zu. Ich war heilfroh. Vielleicht war es doch nicht mein Schicksal, bei lebendigem Leib von Ratten aufgefressen zu werden.

Ich hoffte nur, dass auch Robin nicht so enden würde.

„Ich würde DEFINITIV lieber vor Hunger sterben, als noch eine Sekunde da drin zu bleiben", meinte Finn.

„Gut, aber jetzt müssen wir Marwin suchen", sagte ich. Bloß hatte ich keine Ahnung, wo wir mit dem Suchen anfangen sollten.

„Alles okay, Ed?", fragte Rebekka.

ED mit starrem, leerem Blick

Ed ging einfach so an uns vorbei.

Er gab keine Antwort und wimmerte nur leise vor sich hin. Sein Blick war starr und leer.

Wir liefen durch ein Gewirr aus dunklen, feuchten Tunneln, die uns endlos lang vorkamen. Irgendwann bogen wir schließlich um eine Ecke und entdeckten eine Treppe.

Es war so eine spiralige Treppe mit kreisförmig angeordneten Stufen. Und so rannten wir im Kreis nach oben, immer weiter, immer schneller, bis mir schlecht wurde.

Am oberen Ende der Treppe war eine Tür.

Das Tückische an Türen ist nur:

Großer böser Hund

Leute bei einer **PARTY** ➡

Frösche im Kochtopf

Bevor man sie öff-net, weiß man nicht, was auf der anderen Seite ist. Außer wenn man die Tür gut kennt – wie die eigene Hüttentür.

Dann weißt du natürlich genau, was dahinter ist. Ein Tisch und ein paar Stühle und deine Mama wahrscheinlich.

Bei einer fremden Tür ist das anders. Ein großer, böser Hund könnte dahinter lauern, um einen ins Bein zu beißen. Oder man trifft auf Leute, die eine Party feiern. Oder auf Hexen, die Frösche kochen.

„W—wer macht s—sie denn jetzt auf?", wisperte Ed von hinten.

Niemand rührte sich. Wie es aussah, wollte es keiner machen. Wir standen im Dunkeln rum und sahen uns gegenseitig an. Aber dann pupste Finn, und Rebekka öffnete schnell die Tür, damit wir nicht alle erstickten.

Finns Pups

Finns Pupse sind nämlich tödlich.

Wir betraten einen langen Gang. In beide Richtungen gab es nicht viel zu sehen außer nackten Statuen und Rüstungen und Metalldingern an den Wänden, in denen brennende Fackeln steckten.

Aber aus der Ferne waren Schritte und Stimmen zu hören. Sie kamen auf uns zu.

„Was weiß ich, wo er hin ist! Er war doch fertig mit der Arbeit, oder?"

Das war Hauptmann Hengist!

„Ich bin mir nicht sicher, Chef. Er hat gesagt, er bräuchte weitere Bauteile. Und jetzt ist er weg! Ich kann ihn nirgends finden. Aber der Graf hat gesagt, seine Frau will es unbedingt ausprobieren."

„Dann hat er wahrscheinlich die Teile bekommen, die er brauchte! Und jetzt sieh zu, dass du verschwindest, und gönn mir ein bisschen RUHE UND FRIEDEN!"

Ich fragte mich, um was es da wohl ging.

Aber ich grübelte nicht lange, denn der Hauptmann kam immer näher.

„Wir müssen uns verstecken!", sagte ich.

„Los!", zischte Rebekka. „Alle Mann hinter die Statuen!"

Sie und Ed versteckten
sich hinter einer, die eine
runde Scheibe warf. Und Finn
und ich verschwanden hinter
einer mit einem Zweig in der
Hand, die nur einen dünnen
Streifen Stoff anhatte.

„Wenn du pupst, bringe
ich dich um!", raunte ich Finn
zu.

Wir waren alle mucksmäus-
chenstill. Nur Finn kicherte
blöd rum, weil wir direkt unter
dem Po der Statue hockten.
Ich musste ihm den Mund
zuhalten, sonst hätte er nicht
aufgehört.

Als der Hauptmann an uns
vorbeikam, hörten wir, wie er

143

zu sich sagte: „Der blöde Installateur! Wieso ist er plötzlich verschwunden? Die Schuld wird man **MIR** wieder zuschieben. Ich bin hier immer an **ALLEM** schuld! Gluteus Maximus, so ein Quatsch! Gluteus Dummus passt viel besser ..." Er murmelte weiter vor sich hin und ging den Gang runter.

„Hmm, was ist das?", fragte Finn, als der Hauptmann weg war. „Da wird was gekocht, und es riecht **WUNDERBAR!**"

Wir schnupperten. Der Geruch war wirklich köstlich. Aber er erinnerte mich leider auch an meinen Riesenhunger.

HUNGERTAUMEL

Köstlicher Du

Finn folgte seiner Nase, und wir folgten Finn. Vor einer langen Steintreppe, die abwärts führte, blieben wir allerdings stehen. Von unten war lautes Klappern und Scheppern und Geschrei zu hören.

Aber Finn ging einfach weiter, als wäre er im Hungertaumel. Rebekka wollte ihn noch festhalten, doch er stolperte und fiel die Treppe runter.

„AAAAHHHH!"

Ich hörte, wie er bis ganz nach unten kollerte. Er hatte sich bestimmt UNHEIMLICH wehgetan!

„Da bist du ja, du Dussel!", rief jemand verärgert. „Bringst du mir endlich den Apfel?"

„Das ist nicht der Küchenjunge!", sagte eine andere Stimme.

„Natürlich ist er das! Hirnlos, dummes Gesicht und Pickel ohne Ende. Wer soll das sonst sein?"

„ER IST ES NICHT! Unser Küchen-junge hat viel mehr Pickel als der hier."

Mehr Pickel als Finn? Unmöglich, dachte ich.

Finn fragte was, das ich nicht verstehen konnte.

„FÜR DEN SCHWEINEBRATEN NATÜRLICH, DU DUMMKOMPF!" Es gab ein klatschendes Geräusch, das ziemlich nach einer Ohrfeige klang.

Schweinebraten? Um Himmels willen!

Marwin! Wir kamen zu spät!

ER WAR SCHON GESCHLACHTET WORDEN!

16. Kapitel

EiN iRRER KNALL

Marwin war tot.

Mein treuer Freund, gebraten und zum Essen serviert! Ich hatte es nicht geschafft, ihn zu retten.

Mir war zum Heulen zumute. Aber ich wollte nicht, dass die anderen es sahen.

Also lief ich zurück in den langen Gang, wo die Wände mit teurem Kram behangen waren, den niemand brauchte. Mir war egal, ob ich geschnappt wurde und im Kerker landete. Schlimmer konnte es eh nicht mehr werden. Marwin war jetzt ein Braten, und noch dazu hatten wir Robin verloren.

Wahrscheinlich war er schon eingesperrt und wurde von Killerratten gefressen. Und Finn saß in der Küche fest.

UND wir waren kurz davor zu verhungern!

„Sedrik! Wo willst du hin?", rief Rebekka.

Ich lief etwas langsamer. Rebekka und Ed holten
mich ein.

„Das mit Marwin tut mir leid", sagte Rebekka.

„Ist schon okay", log ich. Es war **ÜBERHAUPT**
nicht okay.

Ed meinte, es könnte ja auch ein anderes Schwein
sein, das da gebraten wurde, und nicht Marwin. Aber er
wollte mich sicher nur aufmuntern.

„Du hast alles getan, was du tun konntest, Sedrik. Niemand hätte −", sagte Rebekka und hielt inne. „Was ist DAS denn?", rief sie.

Ich drehte mich um und sah eine halb offene Tür. Dahinter war ein riesiges, rätselhaftes Gerät. Ed machte die Tür weiter auf und ging mit Rebekka in den Raum.

Ich folgte ihnen ohne großes Interesse. Selbst wenn es das Verrückteste gewesen wäre, was ich jemals gesehen hatte, wäre es mir egal gewesen. Ich konnte an nichts anderes denken als an Marwin.

Wie sich herausstellte, WAR es das Verrückteste, was ich jemals gesehen hatte. Es war das gigantischste, seltsamste Gerät ALLER ZEITEN!

Es musste das große blubbernde Badedings sein!

Ed fummelte schon wieder an allem rum. Ich sagte ihm, er soll es lassen, bevor er was kaputt macht, weil wir schon genug Probleme hatten. Aber er hörte nicht auf mich.

Er öffnete eine Klappe, die sich unter einem Kessel aus Metall befand. Dahinter schwelte ein kleines Feuer.

DAS GROSSE BLUBBERNDE BADEDINGS

DAMPF →

Rohre ↗

Weitere Rohre ←

Holzstapel ↘

150

Ein Rad, keine Ahnung wofür

Feuer zum
Wasser-
heiß-Machen

151

Neben dem Kessel war jede Menge Holz aufgestapelt.
Und Robin warf dieses Holz natürlich komplett ins Feuer.
Es begann richtig gut zu brennen. Vielleicht sogar zu
gut.

Das Wasser in dem Kessel fing an zu blubbern. Aus
den Rohren schoss Dampf in alle Richtungen, was
eigentlich ganz spannend gewesen wäre – wenn ich nicht
am liebsten weggerannt wäre. Ich wollte nicht mehr
daran denken, was mit Marwin passiert war.

Da hörten wir plötzlich Stimmen näher kommen.

„DENNIS! STELL DICH NICHT SO AN! ICH PROBIERE MEIN NEUES BAD AUS, GANZ EGAL, WAS DU SAGST!"

„Wir sollten auf Gluteus warten, meine Süße. Wir
wollen doch nicht, dass etwas passiert", sagte Graf
Dennis.

„Was soll denn schon passieren, du Dummerchen?
Es ist ein Meisterwerk römischer Klempnerei mit

modernster Technik, gebaut von einem erfahrenen Installateur! Da **KANN** doch gar nichts schiefgehen!"

Der Graf und seine Frau erreichten die Tür. Wir mussten uns sofort verstecken!

Ed ruderte panisch mit den Armen und drehte sich im Kreis, während Rebekka und ich nach einem Versteck Ausschau hielten.

Die beiden kamen genau in dem Moment rein, als wir unter einer Art Bett in Deckung gingen. Es hatte eine merkwürdige Form und war mit Kissen und Fransenstoff bedeckt.

„Siehst du, Dennis", sagte Matilda. „Gluteus hat uns nicht im Stich gelassen. Er hat bereits Feuer für uns gemacht. Es wird schön warm sein."

Ich hörte, wie sie die Leiter zu dem Badefass hochstieg. Die Sprossen ächzten unter ihrem mächtigen Gewicht.

„DENNIS! NIMM MEINE TOGA!", rief sie.

NEIIIIN! Ich betete, dass sie nicht komplett nackt war. DAS wollte ich echt nicht sehen.

Das große blubbernde Badedings machte laute Gluckergeräusche. Überall kamen große Dampfwolken raus.

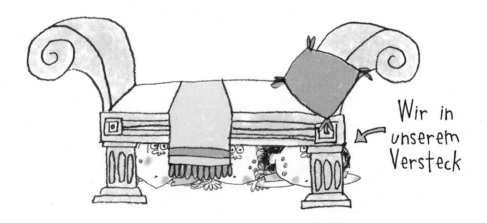

Wir in unserem Versteck

Es gab einen ordentlichen Platsch, als Matilda sich ins Wasser setzte.

„Mmmm! Herrlich!", flötete sie. „Willst du nicht auch baden, Dennis?"

„Oh, wie du wünschst. Ich komme, meine Süße", flötete Dennis zurück.

Rebekka steckte sich die Finger in den Hals und machte Würgegeräusche.

Das Geglucker wurde immer lauter. Und aus den merkwürdig gebogenen Rohren kam immer mehr Dampf.

Plötzlich knackte es irgendwo, dann schepperte es.

Ein Rohr hatte sich gelöst.

„DENNIS! WAS WAR DAS?", kreischte Matilda, als heißer Dampf in die Höhe schoss und das nächste Rohr runterfiel.

„HENGIST! WO STECKEN SIE?", rief der Graf aus dem Wasserfass.

„UND WO ZUM HADES IST DER INSTALLATEUR?"

Hauptmann Hengist ließ sich nicht blicken.

Es gab noch mal ein schreckliches Scheppern, und dann machte es ...

Holz- und Metallstücke flogen in die Luft. Von überall kam Wasser. Es bedeckte im Nu den ganzen Boden. Weitere Rohre krachten runter. Alles Mögliche fing Feuer, dann gab es abermals einen irren ...

Der Holzboden brach ein. Wir beobachteten ent-
geistert, wie das große blubbernde Badedings mitsamt
Dennis und Matilda Stück für Stück in dem Loch im
Boden verschwand.

Dann knackste der Teil des Bodens, auf dem wir
lagen. Das Bett, unter dem wir versteckt waren,
rutschte auf das Loch zu.

Ich wollte mich irgendwo festhalten, aber alles
ringsum fiel auseinander. Der Boden splitterte und
krachte und brach immer weiter ein. Und dann stürzten
wir durch das Loch in ein wogendes Wasser voller
Holzstücke und Rohre.

17. Kapitel

IN DEN FLUTEN

Als ich auftauchte, war überall Wasser. Auch in meinen Ohren und in meiner Nase. Und von allen Seiten stießen kaputte Teile aus Holz und Metall gegen mich.

Zuerst kam Rebekka keuchend neben mir hoch, dann Ed. Sein Gesicht war blutverschmiert.

Ed hatte noch gewaltigeres Nasenbluten als sonst. Das Blut verteilte sich im Wasser und färbte es knall-rot. Wir waren anscheinend in der Küche gelandet. Leute planschten hektisch im ganzen Raum rum.

Eds Nasenbluten ➡
(GEWALTIG)

Sie versuchten, die Töpfe und Pfannen zu retten, die auf dem Wasser schaukelten. Dann hörten wir – über den ganzen Lärm hinweg – ein fürchterliches Gezeter.

„ZUM HADES! WAS IST PASSIERT? BIN ICH TOT? ICH BRINGE DIESEN INSTALLATEUR UM, WENN ICH IHN ERWISCHE! DENNIS, LIEG NICHT EINFACH DA UND GLOTZ WIE EIN IDIOT! BRING MICH HIER SOFORT RAUS!"

Auweia. Wenn Matilda so weitermachte, würde es hier bald von Soldaten wimmeln. Und dann würden wir verhaftet und bei den Ratten im Kerker landen.

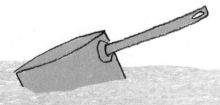

Mittlerweile schwammen immer mehr Sachen auf dem Wasser. Teller und Schalen und Löffel aus Holz – und auch Essen! VIEL Essen! Wir taten so, als wären wir Küchengehilfen, um nicht aufzufallen, und griffen heimlich zu. Ich schnappte mir Äpfel und Brot und fing an zu essen. Rebekka und Ed nahmen sich einen Kuchen. Er war zwar schon matschig, aber sie putzten ihn ziemlich schnell weg. Auch abgenagte Knochen und Gemüseabfälle schwammen vorbei und schimmelige Dinge, die ich nicht erkennen konnte. Aber dann kam was, das ich SOFORT erkannte ...

Ein hässlicher Stachelkopf voller Pickel und Eiterbeulen.

„FINN!"

Viel ESSEN und andere Sachen

Er spuckte und prustete, dann sagte er: „Oh, hallo Leute! Was macht ihr denn hier unten? Und was ist mit Ed los?"

Das Blut lief immer noch in Strömen aus Eds Nase.

„Blutflut", sagte Ed.

„Wahnsinn", meinte Finn.

Da hörte ich Ron und Norman rufen: „Einen kleinen Moment noch, Herr Graf! Wir holen Sie im Handumdrehen da raus!"

„DAS WILL ICH HOFFEN! SONST SORGE ICH PERSÖNLICH DAFÜR, DASS IHR FÜR DEN REST EURES LEBENS IN DER KÜCHE ARBEITET!"

Finns hässlicher
Stachelkopf

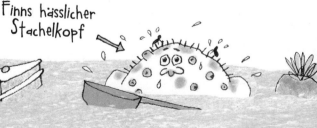

„Okay, halten Sie sich einfach an uns fest!", rief Norman. „Oh, hoppla! Tschuldigung. Sie sind so glitschig! Ich versuche es noch mal."

„IHR UNFÄHIGEN IDIOTEN! WO IST HENGIST?"

„Hier, Graf Dennis", ertönte die matte Stimme des Hauptmanns.

„WO ZUM HADES WAREN SIE, MANN? SCHAFFEN SIE MIR DIESE DEPPEN VOM HALS!"

„Ist gar nicht so übel", sagte Finn, während wir uns durch die Fluten vorwärtsbewegten.

„Was?", fragte ich.

„In der Küche arbeiten. Es war schön warm, und ich konnte viel essen. Hat mir echt gefallen – bis auf die Ohrfeigen und das Anschreien."

Es knirschte und krachte, und wir hörten, wie noch mehr Teile des Holzbodens ins Wasser plumpsten.

„AUAAA! HOLT DAS ZEUG VON MIR RUNTER, IHR TROTTEL!", brüllte der Graf. „KRIEGT IHR EIGENT- LICH GAR NICHTS HIN?"

„Tut mir leid, Herr Graf", sagte Ron.

„Wir holen eben noch Ihre Frau raus, Herr Graf.

Gleich ist alles wieder in schönster Ordnung", sagte Norman.

Plötzlich stieß Matilda einen ohrenbetäubenden Schrei aus. „HIIIIILFE! DENNIS! HOL SOFORT DAS SCHWEIN VON MIR RUNTER! UND JEMAND SOLL MIR MEINE TOGA BRINGEN!"

Hä? Welches Schwein?

Nein. Das konnte nicht sein.

Ich drehte mich um. Matilda lag SPLITTER-NACKT auf einem Haufen aus kaputten Brettern. Und auf ihrem Bauch saß – mit einem zufriedenen Lächeln im Gesicht – MARWIN!

18. Kapitel

MARWINS RETTUNG UND ZURÜCK INS DUNKLE

Marwin war **AM LEBEN!**

Er war nicht gebraten worden und hatte auch keinen Apfel in der Schnauze! Er war **QUICKLEBENDIG!**

„**HENGIST! FANGEN SIE DAS SCHWEIN!**", schrie Graf Dennis.

Der Hauptmann stürzte sich auf Marwin, aber der hatte mich schon gesehen. Er sprang voller Freude von Matilda runter und verschwand im wogenden Wasser.

„Hier ist Ihre Toga, gnädige Frau!", sagte Ron und kniff die Augen zu, als er sie Matilda gab.

Graf Dennis brüllte die Soldaten furchtbar an. Er benutzte Wörter, die SEHR unanständig klangen und nicht zu einem vornehmen Herrn passten.

Die Soldaten suchten fieberhaft nach Marwin. Sie hasteten hierhin und dorthin und stolperten ständig übereinander.

Rebekka, Finn und ich tauchten unter. Wir wollten Marwin natürlich auch finden.

Ed ruderte wieder hilflos mit den Armen und ließ sein Blut überallhin tropfen. Ich erklärte ihm, dass wir weniger auffallen würden, wenn er nicht so viel rum-rudern und bluten würde.

Soldaten auf der Suche nach Marwin

„Ich kann doch nichts dafür, wenn ich die Blutflut kriege!", sagte er. Ich schnappte mir ein Stück zerknülltes Pergament, das an uns vorbeischwamm, und gab es ihm. „Halt es dir unter die Nase, damit es das Blut aufsaugt!"

Es half ein bisschen.

Dann tauchte Marwin prustend und röchelnd neben mir auf. Ich zog ihn aus dem Wasser und umarmte ihn ganz fest.

„Kannst du dir das für später aufheben?", sagte Rebekka. „Wir müssen hier raus!"

Ich fragte Finn, wie man aus der Küche kommt. „Wir müssen die Treppe hoch", meinte er, und ich fragte:

„Welche Treppe?" Da sagte er: „Die da hinten". Und ich meinte: „Was? Die da hinten auf der anderen Seite von Graf Dennis und seiner Frau und den Soldaten? Die du runtergefallen bist?" Und er sagte: „Ja, genau die."

„Wie sollen wir DAS denn machen?", fragte Rebekka.

„Wir könnten unter Wasser schwimmen", schlug Finn vor.

Ich erinnerte ihn daran, dass er nicht schwimmen konnte.

„Ich weiß, dass ich nicht schwimmen kann", sagte Finn. „Aber ich kann UNTERGEHEN. Das kann ich

Graf Dennis mit einer komischen Farbe im Gesicht

richtig gut. Und das ist genau das Gleiche wie unter Wasser schwimmen."

Wir hielten also alle die Luft an und tauchten unter. Finn und Ed kamen an der Treppe wieder hoch. Sehr gut!

Marwin, Rebekka und ich kamen direkt vor Graf Dennis und seiner Frau hoch. Das war weniger gut.

Marwin hatte sich verschluckt und spuckte Graf Dennis mit Wasser voll. Der bekam eine komische Farbe im Gesicht.

„HENGIST!", schrie er. „ICH HATTE IHNEN DOCH GESAGT, SIE SOLLEN DAS SCHWEIN DEM KOCH GEBEN! UND WAS HABEN DIESE SCHMUD-DELIGEN BAUERN AUF MEINER BURG ZU SUCHEN?"

Auf einmal wurde ich wütend. So WÜTEND wie noch nie in meinem Leben. Mir wurde total heiß. Und dann platzte es einfach aus mir heraus:

„SCHMUDDELIGE BAUERN? WAS FÄLLT IHNEN EIN? IN UNSEREM DORF WAR ALLES BESTENS, BIS SIE UND IHRE GIERIGE FRAU KAMEN. UND JETZT HABEN SIE ALLES VERDORBEN, UND WIR WERDEN ALLE VERHUNGERN, WEIL SIE UNS SÄMTLICHE RÜBEN WEGGENOMMEN HABEN. UND DAS FINDE ICH VERDAMMT UNGERECHT!"

Ich bei meinem WUTANFALL

Es wurde ganz still bis auf das Platschen von Holz-
resten, die immer noch von der Decke fielen. Der Graf
machte seinen Mund auf und zu wie ein Fisch. Die dicke
Ader an seiner Stirn pochte.

„Ich glaube, wir verschwinden besser", flüsterte
Rebekka mir zu.

„Okay", flüsterte ich zurück. Ich hielt Marwin gut
fest, und wir tauchten in dem Moment unter, als Hauptmann Hengist uns ergreifen wollte.

Wir schwammen und schwammen, bis ich dachte, meine
Lunge würde platzen.

„LAUF, SEDRIK, LAUF!", rief Ed, als
wir an der Treppe auftauchten. Ich lief hinter den
anderen her. Dabei fiel mir ein ziemlich kleiner Soldat
auf, der auch die Stufen hochrannte. Er trug ein
Kettenhemd und auf den Kopf eine Kapuze.

„Da ist die kleine Kröte, die in den Kerker eingebrochen ist!", rief jemand von unten.

„ROBIN?"

„Lauf weiter, Sedrik!", rief er. „Die Soldaten sind hinter uns her!"

„VERFOLGUNG AUFNEHMEN, HEN- GIST!", rief der Graf. „UND WENN SIE DIE BANDE NICHT SCHNAPPEN, SIND SIE DER NÄCHSTE, DER MIT EINEM APFEL IM MUND AUF EINER SERVIERPLATTE LANDET!"

Am oberen Ende der Treppe rannten wir in den langen Gang. Wir rannten und rannten, und auf einmal war ich wirklich sehr hungrig und müde. Ich wünschte, ich wäre zu Hause in meinem Bett und würde aufwachen und feststellen, dass das alles nur ein böser Traum gewesen war.

Das Burgtor war nicht mehr weit — und es war offen!

„LOS, KOMMT!", rief ich.

Raus in die DUNKELHEIT

Das einzige Licht kam vom **MOND**

↓

Wir liefen so schnell wir

konnten durch das Tor, vorbei

an dem rotbärtigen, TOTAL

verdutzten Wächter, und raus in

die Dunkelheit.

Ich hörte die schweren Schritte der

Soldaten dicht hinter uns.

„ERGREIFT SIE!",

rief Hauptmann Hengist.

↑

Roh

„ICH KANN NICHTS

SEHEN, CHEF!", rief Norman.

„NATÜRLICH NICHT!

ES IST STOCKDUNKEL!"

„KÖNNEN WIR SIE

Norman

NICHT MORGEN IM

↓

HELLEN SUCHEN? ES

SIND DOCH NUR

KINDER. SIE

Hauptmann Hengist

↙

174

Die Soldaten stießen dauernd zusammen. „AUA!"

„Tschuldigung"

HABEN NIEMANDEM ETWAS GETAN!", rief Ron.

„WEISST DU WAS, RON?", rief der Hauptmann.

„Was, Chef?"

„DU BIST WIRKLICH EIN ZIEMLICHES MÄDCHEN!"

„Allmählich geht er mir WIRKLICH auf die Nerven", sagte Rebekka.

„AUAAA! Blöde Grasbüschel!", brummelte Finn von irgendwo.

„ERWISCHT!", rief Hauptmann Hengist triumphierend.

Ich stolperte über Marwin, dann stolperte Ed über mich. Ein großer, stämmiger Soldat zog uns auf die Beine. Ein anderer schnappte sich Robin und Rebekka.

Finn

Doch als Hauptmann Hengist und die

Soldaten uns zurück zur Burg bringen

wollten, tauchte plötzlich eine vertraute

Gestalt in einer Toga auf.

„Was um aller Welt geht hier vor, Hauptmann?",

fragte Gajus.

19. Kapitel

AB IN DEN KERKER!

„Es geht Sie zwar nichts an, aber diese Kinder sind verhaftet", sagte der Hauptmann.

„Ganz schön frech", meinte Rebekka.

„Es geht mich sehr wohl etwas an, Hauptmann", sagte Gajus. „Ich bin ihr Lehrer. Warum wurden sie verhaftet?"

„EINBRUCH UND UNBEFUGTES BETRETEN DER BURG UND DIEB-STAHL UND -", schrie der Hauptmann.

„VON WEGEN DIEBSTAHL!", rief Rebekka. „WIR HABEN NICHTS GESTOHLEN!"

„UNTERBRICH MICH NICHT!", brüllte der Hauptmann. „UND EINER HAT

SICH ALS SOLDAT AUSGEGEBEN UND … was noch, Ron?"

„Sie sind weggelaufen", sagte Ron. „Aber ich denke nicht, dass …"

„KLAPPE! IHR WERDET NICHT FÜRS DENKEN BEZAHLT!"

„Ed! Was ist denn mir dir los?", fragte Gajus.

„Ich hab die Blutflut, Herr Lehrer", sagte Ed.

Gajus nahm ihm das blutige Pergament weg und gab ihm ein sauberes Taschen- tuch, damit er sich das Blut abwischen konnte. „Hauptmann", sagte er. „Ich muss protestieren! Diese Kinder sind unschuldig!"

„Ich befolge nur meine Befehle", sagte Hauptmann Hengist. „Wenn Sie sich BESCHWEREN wollen, müssen Sie sich an Graf Dennis wenden!" Und dann führte er uns ab, zurück in die Burg, und knallte das Tor zu.

„Was hast du da an?", fragte Rebekka Robin und betrachtete sein Kettenhemd.

„Cool, was? Habe ich gefunden, als ich mich versteckt habe. Das ist 'ne super Tarnung."

„Nicht schlecht", sagte Rebekka. „Nur werden sie dich deshalb wahrscheinlich in den Kerker werfen."

Wir wurden in einen großen Saal gebracht.

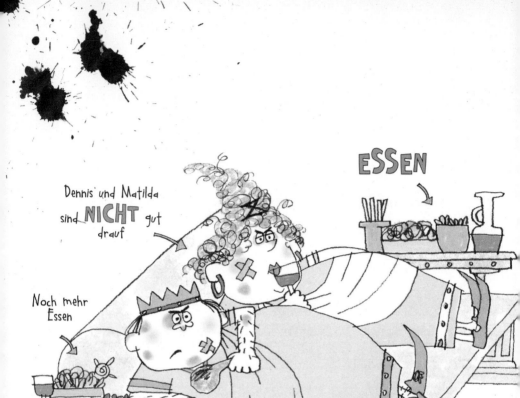

Dennis und Matilda lagen auf ihrem Bett. Sie sahen
WAHNSINNIG sauer aus.

Zu Eds Füßen bildete sich eine rote Pfütze. Obwohl er sich Gajus' Taschentuch unter die Nase hielt, verlor er immer noch viel Blut. Ich fragte mich, ob er deswegen in die Geschichte eingehen würde. Wegen seinem gewaltigen Nasenbluten. Dann überlegte ich, weshalb ich womöglich in die Geschichte eingehen würde.

Vielleicht wegen meinem viel zu frühen Tod.

Der Graf brüllte uns eine Weile an, aber ich hörte nicht zu. Ich war zu müde und hungrig. Aber das Letzte, was er sagte, bekam ich mit: „AB IN DEN KERKER MIT IHNEN!"

Es war also vorbei.

Wir hatten unser Bestes gegeben und waren gescheitert.

Jetzt würden wir im Kerker von den Ratten aufgefressen werden, wenn wir nicht vorher vor Hunger starben. Ich überlegte, ob es wehtat, bei lebendigem Leib gefressen zu werden. Mit welchen Körperteilen würden die Ratten wohl anfangen?

Aber wie auch immer, das war's auf jeden Fall.

Das war das ENDE.

20. Kapitel

DUMM GELAUFEN, GRAF DENNIS!

„Da ist jemand, der Sie dringend sprechen will, Graf Dennis!", sagte Ron.

„Du meine Güte! Was jetzt? Hat er einen Termin?", fragte der Graf.

„Ich weiß es nicht, Herr Graf. Soll ich ihn fragen?"

„NATÜRLICH SOLLST DU IHN FRAGEN, DU VOLLTROTTEL!"

„Ich wusste nicht, dass ich einen Termin brauche. Und Ihr Soldat ist ein höflicher, netter junger Mann und kein Volltrottel", sagte jemand vor der Tür.

„WER ZUM HADES SIND SIE?", schrie Graf Dennis.

„Ich bin Gajus", sagte Gajus und trat vor.

„Oh, sieh nur, Dennis", hauchte Matilda begeistert.
„Er ist ein Römer!"

„WAS IMMER SIE ZU VER-
KAUFEN HABEN, WIR WOLLEN ES
NICHT!", rief der Graf.

„Ich benötige nur einen kleinen Moment Ihrer wert-
vollen Zeit. Tempus fugit, Herr Graf, das weiß ich",
sagte Gajus.

„WAS ERZÄHLT ER DA?", schrie der Graf.

„Oooh, das ist richtiges Latein, Dennis", sagte Matilda aufgeregt.

„Halt den Mund, Matilda", sagte der Graf.

Gajus hielt etwas in der Hand. Es war das blutige Pergament, das er Ed weggenommen hatte. Was hatte er damit vor?

„Ich habe hier ein Dokument, das heute gefunden wurde", sagte er und hielt es hoch. „Ich glaube, Sie wissen, was das ist, Graf Dennis."

Der Graf warf einen Blick darauf. Ein komischer

Ausdruck huschte über sein Gesicht, und er richtete

sich auf. „DAS HABE ICH NOCH NIE IN

MEINEM LEBEN GESEHEN!", rief er.

„Nun, Herr Graf, es ist das Testament von Graf

Oswin dem Uralten. Er war Ihr Onkel, nicht wahr?"

„BLÖDSINN!", brüllte Dennis verärgert.

„ICH SAGTE, ICH HABE ES NOCH

NIE GESEHEN, UND DAS IST DIE

WAHRHEIT!"

Ron schaute über Gajus' Schulter und sah sich das

Pergament an.

„Doch, Herr Graf, Sie kennen es! Erinnern Sie sich

nicht mehr? Sie haben mir und Norman einen Stapel Per-

gamente gegeben, die wir in den Müll werfen sollten. Wir

sollten darauf achten, dass wir wirklich alles entsorgen.

Ich fand es merkwürdig, dass Sie so wichtige Pergamente

wegschmeißen. Das habe ich Norman auch gesagt, nicht

wahr, Norman?"

„DAS REICHT, SOLDAT!", wetterte

der Graf.

„Erlauben Sie, dass ich es Ihnen vorlese", sagte

Gajus.

Und dann las er das Testament von Oswin dem

Uralten vor. Er sagte einiges, was ich nicht verstand –

und der Graf vermutlich auch nicht.

„Nun MACHEN Sie schon, Mann!", blaffte der Graf ungeduldig.

„Sehr wohl, Graf Dennis, kommen wir zum Ende. Da steht etwas ganz Wichtiges: ‚Und als Belohnung für die tüchtigen, treuen und ehrlichen Einwohner von Klein—Schmuddeldorf soll es ein großes Festmahl zur Erinnerung an mich geben, das eigens in der Burgküche vorbereitet wird.'"

„Na, das ist doch kein Problem", sagte Dennis hastig. „Das lässt sich sicherlich einrichten. Und nun, Haupt—mann, bringen Sie diese Kinder UND das Schwein in den Kerker!"

„Da ist noch etwas, Herr Graf", sagte Gajus.

„Ach ja? Dann lesen Sie weiter", brummelte der Graf.

„Wo war ich? Oh ja, da steht es: ‚Und als Zeichen meines Respekts und meiner Dankbarkeit gewähre ich dem ganzen Dorf auf ewig Freiheit.'"

„Was bedeutet das, Herr Lehrer?", fragte ich

Gajus.

„Das bedeutet, junger Sedrik", sagte Gajus, „dass

Graf Oswin euch allen die Freiheit geschenkt hat – für

immer!"

„Heißt das, wir kriegen unsere Rüben zurück?",

fragte Robin.

Eds Blut

Testament von
Oswin
dem Uralten

· ❖ ·

Bla bla bla * das verstehe ich alles nicht *
blabla * das übergehe ich einfach *
total geschwollene Sprache, besser warten,
bis das Interessante kommt * hier ist es ...

... und als Belohnung für die
TÜCHTIGEN, TREUEN und EHRLICHEN
Einwohner von Klein-Schmuddeldorf
im Schlamm soll es ...
Und als Zeichen meines Respekts
und meiner Dankbarkeit gewähre
ich DEM GANZEN
DORF AUF EWIG Freiheit.

Das bedeutet:
für immer

21. Kapitel

DAS ENDE – ODER VIELLEICHT DOCH NICHT?

Nach alldem wollte uns Graf Dennis TROTZDEM in den Kerker zu den Ratten werfen lassen. Er war ZIEM- LICH böse auf uns, weil wir das Testament gefunden hatten.

Aber er meinte, es würde nichts daran ändern, dass wir in die Burg eingebrochen waren und so weiter und so fort.

Doch Gajus sagte, es gäbe ein altes römisches Gesetz, nach dem es verboten wäre, Testamente zu beseitigen. Und dass der Graf demnach ein Verbrecher wäre, weil er Ron und Norman befohlen hatte, Oswins Testament in den Müll zu werfen.

Römischer Gesetzemacher beim **Gesetzeschreiben**

Graf Dennis war STINKWÜTEND. Er versuchte sich herauszureden, aber jeder wusste, was er getan hatte.

Und so bekamen wir wirklich ALLE unsere Rüben zurück, und wir feierten endlich unser Dorffest. Es war das beste Fest ALLER ZEITEN!

Die Sonne schien, und die Stimmung war super.

Robin gewann bei dem Schätzspiel „Wie viel wiegt dieser Eimer Schlamm?", und Rebekkas kleiner Bruder Knut bekam den Preis für das beste Kostüm. Er war als Hirsch verkleidet. Wir hatten zwei Äste an seinem Kopf festgebunden und ihm eine schwarze Nase gemacht.

Es wurde gesungen und getanzt, und es gab viele Speisen und Getränke aus Rüben. Rübenfrikos und Rübenhäppchen und Rübenkuchen zum Beispiel und Rübenwein und sogar Rübencocktails mit Strohhalmen drin, die mit Brombeeren verziert waren.

Es war FANTASTISCH.

Und als es Abend wurde, kam Oswins Festmahl. Es wurde uns auf unserem Rübenkarren gebracht, und es waren viele Sachen dabei, die ich NOCH NIE in meinem Leben gegessen hatte. Ich futterte so viel, dass ich echt dachte, ich würde platzen.

Graf Dennis und Matilda kamen nicht zu uns ins Dorf runter, was ich ein bisschen unhöflich fand. Aber Ron und Norman kamen und hatten viel Spaß bei uns.

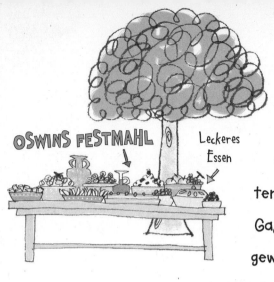

OSWINS FESTMAHL ← Leckeres Essen ↓

„Klasse, dass Sie über dieses römische Gesetz Bescheid wussten", sagte ich später zu Gajus. „Wenn Sie das nicht gewusst hätten, wären wir jetzt wahrscheinlich alle tot."

„Oh, ich glaube nicht, dass es so weit gekommen wäre, junger Sedrik", meinte Gajus lächelnd. „Aber es ist doch erstaunlich, was man sich in der Not so alles einfallen lässt, nicht wahr?"

„WAS? Soll das heißen, dass es gar kein altes römisches Gesetz zum Wegwerfen von Testamenten gibt?", fragte ich. „Sie haben sich das nur ausgedacht?"

„Nun, es KÖNNTE so ein Gesetz geben", sagte Gajus vergnügt. „Allerdings habe ich noch nie davon gehört. Aber das bleibt unter uns, ja?"

Ich versprach, es niemandem zu verraten. Dann zog ich mit Marwin los, um noch mehr zu essen.

Auf einmal fiel mir Rebekkas Traum wieder ein. Mir wurde klar, dass inzwischen so ziemlich alles davon passiert war.

Doch das sagte ich ihr NICHT. Sie hätte sich nur was drauf eingebildet!

Es war also alles ganz wunderbar in Klein-Schmuddeldorf. Wir hatten unsere Rüben zurück. Wir waren freie, zufriedene Bauern. Und Graf Dennis hockte ziemlich UNzufrieden oben auf seiner Burg.

Graf Dennis (mit SEHR schlechter Laune)

Aber ich hatte das Gefühl, dass wir nicht zum letzten Mal von ihm gehört hatten ...

ANGIE MORGAN hat sich schon immer gewünscht,
mit Zeichnen ihren Lebensunterhalt zu verdienen.
Nach dem Studium hatte sie dafür aber zunächst keine
Zeit. Sie war viel zu beschäftigt mit anderen Jobs wie
Fotografie und Möbelgestaltung. Bis sie ein paar Jahre
später dann anfing zu schreiben, um etwas zu haben,
das sie illustrieren konnte. Und die Ideen sind ihr bis
heute nicht ausgegangen.

MEIN DICKER FETTER ZOMBIE GOLDFISCH

Als sein großer Bruder den neuen Chemiebaukasten am Goldfisch ausprobiert, bleibt Tom nicht viel Zeit. Mithilfe einer Batterie und purem Glück bringt er Frankie tatsächlich ins Leben zurück. Oder zumindest fast … Denn Frankie ist plötzlich ein dicker fetter Zombie-Goldfisch mit hypnotischen Kräften, und er sinnt auf RACHE!

Band 1:
Frankie – Fischig,
fies und untot
ISBN 978-3-505-13301-5

Band 2:
Frankie – Ein wahrhaft
teuflischer Fisch
ISBN 978-3-505-13302-2

Band 3:
Frankie – Alles
andere ist Fischfutter
ISBN 978-3-505-13352-7

Kinder lieben Schneiderbücher!

www.schneiderbuch.de

Band 4:
Frankie – Rächer
mit vier Flossen
ISBN 978-3-505-13353-4

Band 5:
Frankie – Die
fliegende Fischbombe
ISBN 978-3-505-13523-1

Band 6:
Frankie – Ein
Superfisch gegen
den Rest der Welt
ISBN 978-3-505-13525-5

Mo O'Hara
Mein dicker fetter
Zombie-Goldfisch
je ca. 130 Seiten, gebunden
€ 9,99 [D]

Band 7:
Frankie – Flossen weg
vom Mumienschatz!
ISBN 978-3-505-13634-4

Schneiderbuch

EGMONT

Tom ist cool, witzig und frech. Und außerdem sehr erfindungsreich. Ständig hat er Unsinn im Kopf. Darunter haben besonders die Lehrer und seine Schwester Delia zu leiden. Aber niemand nimmt ihm das wirklich übel, weil Tom nie böse Absichten hat. Manchmal laufen die Dinge nur anders als geplant …

**Band 1: Wo ich bin, ist Chaos –
aber ich kann nicht überall sein**
252 Seiten, gebunden
ISBN 978-3-505-12936-0

Irgendeine höhere Macht möchte um jeden Preis verhindern, dass Tom eine gute Note für seine Hausaufgaben bekommt. Ständig kommen ihm ausgelaufene Füller, gefräßige Hunde oder von Bazillen befallene Papierseiten in die Quere. Und er kann nun wirklich nichts dafür, dass er kurz vor seinem Auftritt mit der oberpeinlichen Schulband von einem Instrumentenarmleiden geplagt wird!

Band 2: Eins-a-Ausreden (und anderes cooles Zeug)
352 Seiten, gebunden
ISBN 978-3-505-12937-7

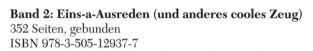

Die Vorbereitungen für Toms Geburtstagsparty laufen auf Hochtouren. Nun muss er nur noch sicher gehen, dass alles nach Plan läuft. Was gar nicht so einfach ist, wenn man eine Oma hat, die Geburtstagstorten mit Würstchen-Garnitur für eine Delikatesse hält. Oder wenn Papa meint, dass ein DJ im Dino-Kostüm und mit Glitzer-Stiefeln total angesagt ist …

Band 3: Alles Bombe (irgendwie)
416 Seiten, gebunden
ISBN 978-3-505-12938-4

Katastrophe! Papa Gates hat angekündigt, am Sportwettbewerb von Toms Schule teilzunehmen. Das kann nur wieder eine total peinliche Nummer werden, die Toms Ruf für immer ruinieren wird. Er muss das um jeden Preis verhindern! Und dann ist da noch dieser Talentwettbewerb, den er als angehender Rockstar unbedingt gewinnen muss …

Band 4:
Ich bin so was von genial (aber keiner merkt's)
336 Seiten, gebunden
ISBN 978-3-505-13153-0

Sensationelle Neuigkeiten! Die 5 F geht auf Klassenfahrt. Das klingt nach jeder Menge Spaß, Tom freut sich wie verrückt! Wenn ihm nur nicht sein Lehrer Mr Fullerman einen Strich durch die Rechnung macht und den obernervigsten Typen aller Zeiten mit auf sein Zimmer steckt …

Band 5:
Ich hab für alles eine Lösung – aber
sie passt nie zum Problem
284 Seiten, gebunden
ISBN 978-3-505-13262-9

Tom kann sein Glück kaum fassen, als pünktlich zum Wintereinbruch die Schulheizung ausfällt und alle Kältefrei bekommen – einfach genial! Wären da nur nicht die neuen Nachbarn, die Toms laute DUDE3-Musik ganz und gar nicht mögen, und Oma Mavis' Strickmützen in Form einer Torte …

Band 6: Jetzt gibt's was auf die Mütze (aber echt!)
252 Seiten, gebunden
ISBN 978-3-505-13369-5

Liz Pichon
Tom Gates
Band 1: € 8,99 [D]
Band 2-6: € 9,99 [D]

Schneiderbuch
EGMONT

DIE WÜSTE BEBT!

Tief unten in einer gemütlichen Höhle leben drei kleine Erdmännchen und ihr etwas eigenwilliger Babysitter. Onkel Erwin war einst König der Wüste, aber dann hatte er ... nun ja, etwas Pech. Am liebsten erzählt er Geschichten aus seiner glorreichen Zeit: über Blah-Blahs, Klick-Klicks und Ohguckmal - haarlose, seltsame Wesen, denen er an der Oberfläche begegnet ist. Ob das wahr ist? Doch dann entdecken die drei vergraben im Sand ein geheimnisvolles pinkfarbenes Objekt, und ehe sie sich versehen, sind sie mittendrin in einem fellsträubenden Abenteuer ...

Band 1: Erwin, König der Wüste
ISBN 978-3-505-12957-5

Mia, Träumer und Tüftler können es nicht fassen: Onkel Erwin hat sich verknallt, und nun zieht einfach eine fremde, flauschige Erdmännchen-Prinzessin in ihren Bau ein. Dabei vermissen sie doch immer noch ihre richtige Mama! Nach der werden sie jetzt suchen - und zwar allein. Aber die Wüste ist gefährlicher, als sie dachten: Sie treffen auf ein halb verhungertes Löwenjunges, wütende Blah-Blahs und gefährliche Brumm-Brumms. Wie gut, dass Erwin die drei heimlich im Auge behält ...

Band 2: Erwin und die wilden drei
ISBN 978-3-505-12958-2

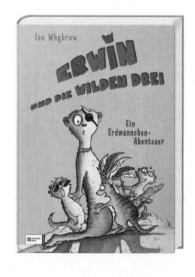

Kinder lieben Schneiderbücher!

www.schneiderbuch.de

Auf seine alten Tage hat Erwin mit Sonnstrahl noch einmal Nachwuchs bekommen. Tüftler, Mia und Träumer dagegen sind schon ziemlich selbstständig – ein bisschen zu selbstständig für Erwins Geschmack. Als die Ballonfahrerin Daniela Pipistrella in der Nähe des Baus auftaucht, klettern die drei Kleinen heimlich an Bord – und gehen unfreiwillig in die Luft! Jetzt gibt es nur noch eins: Erwin und der Rest der Wahnsinnsmeute müssen dem fliegenden Ding möglichst schnell hinterher …

Band 3: Erwin, ein Käpt'n für alle Fälle
ISBN 978-3-505-12959-9

Angriff der Hyänen-Gang! Erwin und seine wilde Wahnsinnsmeute werden glücklicherweise verschont, doch das Nest einer Straußen-Familie muss dran glauben. Zurück bleibt eine aufgeregte Straußen-Mama auf der Suche nach ihrem letzten verbliebenen Ei und ihrem Straußen-Gatten. Erwin und die drei Kleinen wollen helfen, doch wie findet man ein Ei in der Wüste?

Band 4: Erwin und die Sache mit dem Straußen-Ei
ISBN 978-3-505-13188-2

je ca. 200 Seiten
€ 9,99 [D]

Ⓢ Schneiderbuch

EGMONT

Ich bin kein Loser

Der neue Comic-Roman-Held: Barry Loser!

Gestatten, mein Name ist Loser, Barry Loser. Wer so heißt, muss cool sein. Das war ich auch. Bis Darren Darrenofski auf meine Schule gekommen ist – mit nur einem Ziel: mir das Leben zur Hölle zu machen. Darren mit seinem Krokodilkopf rülpst ständig und singt ohne Unterlass „Barry Loser ist ein Loser" zur Melodie von „Happy Birthday". Also habe ich kurzerhand beschlossen, mir einen neuen Namen zuzulegen. Und einen genialen Plan entwickelt, mich an Darren zu rächen!

Barry Loser / Jim Smith
Band 1:
Ich bin (k)ein Loser
256 Seiten, gebunden
€ 9,99 [D]
ISBN 978-3-505-13042-7

Band 2:
Ich bin immer noch (k)ein Loser
256 Seiten, gebunden
€ 9,99 [D]
ISBN 978-3-505-13076-2

Band 3:
Ich bin doch (k)ein Loser
256 Seiten, gebunden
€ 9,99 [D]
ISBN 978-3-505-13077-9

Kinder lieben Schneiderbücher!

www.schneiderbuch.de

Schneiderbuch

EGMONT

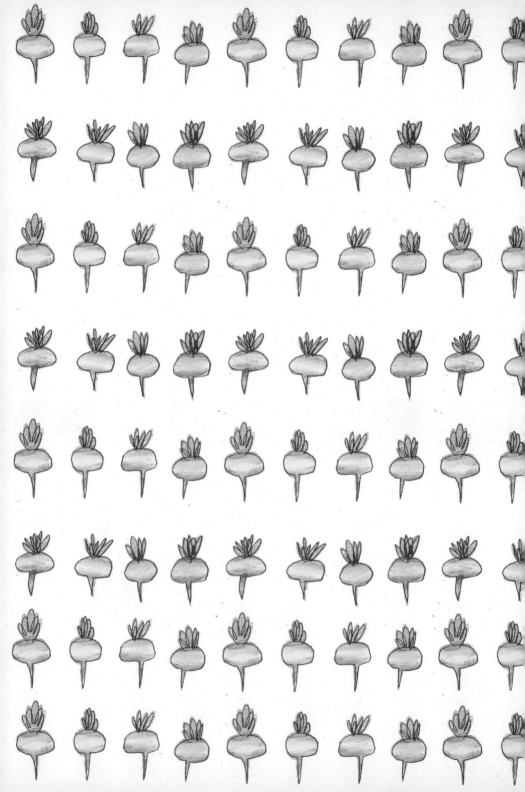